APOLOGIE DE SOCRATE
CRITON - PHÉDON

PLATON

APOLOGIE DE SOCRATE
CRITON
PHÉDON

Traduction, notices et notes
par
Émile Chambry

GARNIER-FLAMMARION

NOTICE
SUR LA VIE DE PLATON

Platon naquit à Athènes en l'an 428-427 av. J.-C. dans le dème de Collytos. D'après Diogène Laërce, son père Ariston descendait de Codros. Sa mère Périctionè, sœur de Charmide et cousine germaine de Critias, le tyran, descendait de Dropidès, que Diogène Laërce donne comme un frère de Solon. Platon avait deux frères aînés, Adimante et Glaucon, et une sœur, Potonè, qui fut la mère de Speusippe. Son père Ariston dut mourir de bonne heure; car sa mère se remaria avec son oncle Pyrilampe, dont elle eut un fils, Antiphon. Quand Platon mourut, il ne restait plus de la famille qu'un enfant, Adimante, qui était sans doute le petit-fils de son frère. Platon l'institua son héritier, et nous le retrouvons membre de l'Académie sous Xénocrate; la famille de Platon s'éteignit probablement avec lui; car on n'en entend plus parler.

La coutume voulait qu'un enfant portât le nom de son grand-père, et Platon aurait dû s'appeler comme lui Aristoclès. Pourquoi lui donna-t-on le nom de Platon, d'ailleurs commun à cette époque ? Diogène Laërce rapporte qu'il lui fut donné par son maître de gymnastique à cause de sa taille; mais d'autres l'expliquent par d'autres raisons. La famille possédait un domaine près de Képhisia, sur le Céphise, où l'enfant apprit sans doute à aimer le calme des champs, mais il dut passer la plus grande partie de son enfance à la ville pour les besoins de son éducation. Elle fut très soignée, comme il convenait à un enfant de haute naissance. Il apprit d'abord à honorer les dieux et à observer les rites de la religion, comme on le faisait dans toute bonne maison d'Athènes, mais sans mysticisme, ni superstition d'aucune sorte. Il gardera toute sa vie ce respect de la religion et l'imposera dans

ses *Lois*. Outre la gymnastique et la musique, qui faisaient le fond de l'éducation athénienne, on prétend qu'il
étudia aussi le dessin et la peinture. Il fut initié à la philosophie par un disciple d'Héraclite, Cratyle, dont il a
donné le nom à un de ses traités. Il avait de grandes dispositions pour la poésie. Témoin des succès d'Euripide
et d'Agathon, il composa lui aussi des tragédies, des
poèmes lyriques et des dithyrambes.

Vers l'âge de vingt ans, il rencontra Socrate. Il brûla,
dit-on, ses tragédies, et s'attacha dès lors à la philosophie.
Socrate s'était dévoué à enseigner la vertu à ses concitoyens : c'est par la réforme des individus qu'il voulait
procurer le bonheur de la cité. Ce fut aussi le but que
s'assigna Platon, car, à l'exemple de son cousin Critias
et de son oncle Charmide, il songeait à se lancer dans la
carrière politique ; mais les excès des Trente lui firent
horreur. Quand Thrasybule eut rétabli la constitution
démocratique, il se sentit de nouveau, quoique plus
mollement, pressé de se mêler des affaires de l'État. La
condamnation de Socrate (399) l'en dégoûta. Il attendit
en vain une amélioration des mœurs politiques ; enfin,
voyant que le mal était incurable, il renonça à prendre
part aux affaires ; mais le perfectionnement de la cité
n'en demeura pas moins sa grande préoccupation, et il
travailla plus que jamais à préparer par ses ouvrages un
état de choses où les philosophes, devenus les précepteurs
et les gouverneurs de l'humanité, mettraient fin aux
maux dont elle est accablée.

Il était malade lorsque Socrate but la ciguë, et il ne
put assister à ses derniers moments. Après la mort de
son maître, il se retira à Mégare, près d'Euclide et de
Terpsion, comme lui disciples de Socrate. Il dut ensuite
revenir à Athènes et servir, comme ses frères, dans la
cavalerie. Il prit, dit-on, part aux campagnes de 395 et
de 394, dans la guerre dite de Corinthe. Il n'a jamais parlé
de ses services militaires, mais il a toujours préconisé les
exercices militaires pour développer la vigueur.

Le désir de s'instruire le poussa à voyager. Vers 390,
il se rendit en Égypte, emmenant une cargaison d'huile
pour payer son voyage. Il y vit des arts et des coutumes
qui n'avaient pas varié depuis des milliers d'années.
C'est peut-être au spectacle de cette civilisation fidèle
aux antiques traditions qu'il en vint à penser que les
hommes peuvent être heureux en demeurant attachés à
une forme immuable de vie, que la musique et la poésie

n'ont pas besoin de créations nouvelles, qu'il suffit de trouver la meilleure constitution et qu'on peut forcer les peuples à s'y tenir.

D'Égypte, il se rendit à Cyrène, où il se mit à l'école du mathématicien Théodore, dont il devait faire un des interlocuteurs du *Théétète*. De Cyrène, il passa en Italie, où il se lia d'amitié avec les pythagoriciens Philolaos, Archytas et Timée. Il n'est pas sûr que ce soit à eux qu'il ait pris sa croyance à la migration des âmes; mais il leur doit l'idée de l'éternité de l'âme, qui devait devenir la pierre angulaire de sa philosophie; car elle lui fournit la solution du problème de la connaissance. Il approfondit aussi parmi eux ses connaissances en arithmétique, en astronomie et en musique.

D'Italie, il se rendit en Sicile. Il vit Catane et l'Etna. A Syracuse, il assista aux farces populaires et acheta le livre de Sophron, auteur de farces en prose. Il fut reçu à la cour de Denys comme un étranger de distinction et il gagna à la philosophie Dion, beau-frère du tyran. Mais il ne s'accorda pas longtemps avec Denys, qui le renvoya sur un vaisseau en partance pour Égine, alors ennemie d'Athènes. Si, comme on le rapporte, il le livra au Lacédémonien Pollis, c'était le livrer à l'ennemi. Heureusement il y avait alors à Égine un Cyrénéen, Annikéris, qui reconnut Platon et le racheta pour vingt mines. Platon revint à Athènes, vraisemblablement en 388. Il avait quarante ans.

La guerre durait encore; mais elle allait se terminer l'année suivante par la paix d'Antalkidas. A ce moment, Euripide était mort et n'avait pas eu de successeur digne de lui. Aristophane venait de faire jouer son dernier drame, remanié, le *Ploutos*, et le théâtre comique ne devait retrouver son éclat qu'avec Ménandre. Mais si les grands poètes faisaient défaut, la prose jetait alors un vif éclat avec Lysias, qui écrivait des plaidoyers et en avait même composé un pour Socrate, et Isocrate, qui avait fondé une école de rhétorique. Deux disciples de Socrate, Eschine et Antisthène, qui tous deux avaient défendu le maître, tenaient école et publiaient des écrits goûtés du public. Platon, lui aussi, se mit à enseigner; mais au lieu de le faire en causant, comme son maître, en tous lieux et avec tout le monde, il fonda une sorte d'école à l'image des sociétés pythagoriciennes. Il acheta un petit terrain dans le voisinage du gymnase d'Académos, près de Colone, le village natal de Sophocle. De là le nom d'Aca-

démie qui fut donné à l'école de Platon. Ses disciples
formaient une réunion d'amis, dont le président était
choisi par les jeunes et dont les membres payaient sans
doute une cotisation.

Nous ne savons rien des vingt années de la vie de Platon qui s'écoulèrent entre son retour à Athènes et son
rappel en Sicile. On ne rencontre même dans ses œuvres
aucune allusion aux événements contemporains, à la
reconstitution de l'empire maritime d'Athènes, aux succès
de Thèbes avec Épaminondas, à la décadence de Sparte.
Denys l'Ancien étant mort en 368, Dion, qui comptait
gouverner l'esprit de son successeur, Denys le Jeune,
appela Platon à son aide. Il rêvait de transformer la
tyrannie en royauté constitutionnelle, où la loi et la liberté
régneraient ensemble. Son appel surprit Platon en plein
travail; mais le désir de jouer un rôle politique et d'appliquer son système l'entraîna. Il se mit en route en 366,
laissant à Eudoxe la direction de son école. Il gagna en
passant l'amitié d'Archytas, mathématicien philosophe qui
gouvernait Tarente. Mais quand il arriva à Syracuse, la
situation avait changé. Il fut brillamment reçu par Denys,
mais mal vu des partisans de la tyrannie et en particulier
de Philistos, qui était rentré à Syracuse après la mort de
Denys l'Ancien. En outre, Denys s'étant aperçu que Dion
voulait le tenir en tutelle, le bannit de Syracuse. Tandis
que Dion s'en allait vivre à Athènes, Denys retenait
Platon, sous prétexte de recevoir ses leçons, pendant tout
l'hiver. Enfin quand la mer redevint navigable, au printemps de l'année 365, il l'autorisa à partir sous promesse
de revenir avec Dion. Ils se séparèrent amicalement,
d'autant mieux que Platon avait ménagé à Denys l'al-
liance d'Archytas de Tarente.

De retour à Athènes, Platon y trouva Dion qui menait
une vie fastueuse. Il reprit son enseignement. Cependant
Denys avait pris goût à la philosophie. Il avait appelé
à sa cour deux disciples de Socrate, Eschine et Aristippe
de Cyrène, et il désirait revoir Platon. Au printemps de
361, un vaisseau de guerre vint au Pirée. Il était commandé
par un envoyé du tyran, porteur de lettres d'Archytas et
de Denys, où Archytas lui garantissait sa sûreté personnelle, et Denys lui faisait entrevoir le rappel de Dion
pour l'année suivante. Platon se rendit à leurs instantes
prières et partit avec son neveu Speusippe. De nouveaux
déboires l'attendaient : il ne put convaincre Denys de
la nécessité de changer de vie. Denys mit l'embargo sur

les biens de Dion. Platon voulut partir ; le tyran le retint, et il fallut l'intervention d'Archytas pour qu'il pût quitter Syracuse, au printemps de 360. Il se rencontra avec Dion à Olympie. On sait comment celui-ci, apprenant que Denys lui avait pris sa femme, pour la donner à un autre, marcha contre lui en 357, s'empara de Syracuse et fut tué en 353. Platon lui survécut cinq ans. Il mourut en 347-346, au milieu d'un repas de noces, dit-on. Son neveu Speusippe lui succéda. Parmi les disciples de Platon, les plus illustres quittèrent l'école. Aristote et Xénocrate se rendirent chez Hermias d'Atarnée, Héraclide resta d'abord à Athènes, puis alla fonder une école dans sa patrie, Héraclée. Après la mort de Speusippe, Xénocrate prit la direction de l'Académie, qui devait subsister jusqu'en 529 de notre ère, année où Justinien la fit fermer.

NOTICE
SUR L'APOLOGIE DE SOCRATE

Socrate était parvenu à l'âge de soixante-dix ans lors-qu'il fut accusé par Mélètos, Anytos et Lycon de ne pas reconnaître les dieux de l'État, d'introduire de nouvelles divinités et de corrompre la jeunesse. La peine requise contre lui était la mort.

Le principal accusateur, Mélètos, était un mauvais poète qui, poussé par Anytos, se chargea de déposer la plainte au greffe de l'archonte-roi. Anytos et Lycon la contresignèrent. Anytos, un riche tanneur, qui avait été stratège en 409 et qui avait combattu les Trente avec Thrasybule, était un orateur influent et l'un des chefs du parti populaire. Si l'on en croit Xénophon (*Apologie*, 29), il était fâché contre Socrate, parce que celui-ci l'avait blâmé d'élever son fils dans le métier de tanneur. Il avait sans doute d'autres motifs plus sérieux, des motifs politiques : il avait dû se sentir blessé par les critiques de Socrate contre les chefs du parti démocratique. De Lycon, nous ne savons pas grand-chose. Le poète comique Eupolis lui reproche d'être d'une origine étrangère et Cratinos fait allusion à sa pauvreté et à ses mœurs efféminées. En tout cas, il semble avoir été un personnage de peu d'importance. Dans ce concert d'accusateurs, Mélètos représentait les poètes, Anytos les artisans et les hommes politiques, Lycon les orateurs, tous gens dont Socrate, en mettant leur savoir à l'épreuve, avait choqué l'amour-propre et suscité les rancunes.

Socrate, en butte à toutes ces haines, ne se fit pas illusion. Mais, bien qu'il s'attendît à être condamné, il continua à s'entretenir à l'ordinaire avec ses disciples de toutes sortes de sujets étrangers à son procès. Comme son ami Hermogène s'étonnait (*Apologie de Socrate*, par Xénophon, 3 et 4) qu'il ne songeât pas à sa défense :

« Ne te semble-t-il pas, répondit-il, que je m'en suis occupé toute ma vie ? — Et comment ? — En vivant sans commettre aucune injustice. » Et comme Hermogène lui objectait que les tribunaux d'Athènes avaient souvent fait périr des innocents, il répondit qu'il avait par deux fois essayé de composer une apologie, mais que son signe divin l'en avait détourné. D'après Diogène Laërce, Lysias lui aurait proposé un plaidoyer qui aurait sans doute emporté l'acquittement. Il le refusa en disant : « Ton discours est fort beau, mais ne me convient pas. » Ce discours était sans doute composé suivant les règles de la rhétorique et visait à exciter la pitié des juges. C'est ce que Socrate ne voulait pas. Il se défendit lui-même dans un discours qu'il n'écrivit pas, mais qu'il avait dû néanmoins méditer à l'avance. Il y montra une fierté de langage qui frappa ses amis aussi bien que ses juges. « D'autres, dit Xénophon, ont écrit sur son procès, et tous ont bien rendu la fierté de son langage, ce qui prouve que c'est bien ainsi qu'il parla. » Condamné à soixante voix de majorité sur cinq cents ou cinq cent un votants *, et invité à fixer sa peine, il refusa de le faire, pour ne pas se reconnaître coupable, dit Xénophon. Il demanda même, d'après Platon, à être nourri au prytanée. Cette demande parut être une bravade au jury, qui le condamna à mort à une majorité plus forte. Conduit en prison, il dut y attendre un mois le retour de la théorie envoyée à Délos ; car il n'était pas permis de mettre quelqu'un à mort entre le départ et le retour des députés qui allaient sacrifier chaque année dans l'île sainte. Il eût pu s'évader de sa prison. Il refusa de le faire. Il continua à s'entretenir avec ses disciples admis dans sa prison jusqu'au retour de la galère sacrée. Il but alors la ciguë et mourut avec une sérénité qui couronnait dignement une longue carrière consacrée à la science et à la vertu.

La condamnation de Socrate ne pouvait manquer d'être discutée. S'il avait contre lui des juges prévenus dès longtemps contre les sophistes avec lesquels on le confondait, et des démocrates qui ne lui pardonnaient pas ses critiques contre le régime de la fève, il avait pour lui tous ceux qui le connaissaient bien et en particulier

* *Le tribunal des Héliastes qui jugea Socrate se composait de 6 000 membres élus par le sort, 600 par tribu. Mais ils ne siégeaient pas tous à la fois ; d'ordinaire la cour se formait de 500 ou 501 juges, quelquefois de 1 000, quelquefois de 300 ou 400. Le jury devant lequel Socrate comparut comprenait 500 ou 501 juges.*

des disciples fervents comme Antisthène, Eschine, Xénophon et Platon. Ceux-ci ne tardèrent pas à prendre la
défense de leur maître, et c'est pour le faire connaître tel
qu'il était que Platon écrivit son *Apologie*. Il est bien
certain — les divergences entre l'apologie de Platon et
celle que composa plus tard Xénophon le montrent d'une
manière assez claire — que Platon, pas plus que Xénophon, ne reproduit pas les paroles mêmes de Socrate
devant ses juges. Il a dû pourtant en reproduire l'essentiel et réfuter à peu près comme lui les griefs des accusateurs ; autrement le nombreux public qui avait entendu
Socrate aurait pu l'accuser de mensonge et ruiner ainsi
l'effet de son ouvrage. D'ailleurs Platon ne pouvait mieux
faire pour défendre son maître que d'en présenter à ses
lecteurs une image aussi exacte que possible. On sait
par les pastiches qu'il a faits de Lysias, de Protagoras,
de Prodicos et d'autres, combien il était habile à contre-
faire les talents les plus divers. Aussi l'on peut croire
qu'en s'appliquant à faire revivre la figure de son maître
vénéré, il en a reproduit les traits avec une grande fidélité.

L'*Apologie* se divise en trois parties bien distinctes.
Dans la première, de beaucoup la plus importante, Socrate
discute le réquisitoire de ses accusateurs ; dans la seconde,
il fixe sa peine ; dans la troisième, il montre aux juges
qui l'ont condamné le tort qu'ils se sont fait et il s'entretient avec ceux qui l'ont acquitté de la mort et de l'au-
delà.

PREMIÈRE PARTIE. — Dès l'exorde de la première
partie, on reconnaît Socrate à sa feinte modestie. Il est,
dit-il, entièrement étranger au langage des tribunaux.
Aussi se bornera-t-il à dire simplement la vérité. Il
indique ensuite les deux grandes divisions de son plaidoyer : il répondra d'abord aux calomnies propagées
depuis longtemps contre lui ; il discutera ensuite les griefs
de ses accusateurs récents.

On l'accuse depuis des années de chercher à pénétrer
les secrets de la nature, de faire d'une bonne cause une
mauvaise et d'enseigner aux autres à le faire aussi. C'est
ainsi qu'un poète comique (Aristophane, *Nuées*) l'a
représenté sur la scène, « se promenant dans les airs et
débitant toute sorte de sottises ». Il proteste qu'il n'entend
rien aux sciences de la nature, qu'il n'a jamais eu de
disciples, à la manière des sophistes, qui font payer leurs
leçons fort cher, tandis qu'il n'a jamais fait payer à per-

sonne le droit d'assister à ses entretiens. D'où viennent donc ces faux bruits qui courent sur son compte ? C'est qu'un jour, ayant été proclamé lc plus sage des hommes par l'oracle de Delphes, il a voulu s'assurer si l'oracle disait vrai. Il a interrogé les hommes les plus sages, les hommes d'État, puis les poètes, puis les artisans. Il a trouvé, et leur a démontré que, se croyant sages, ils ne l'étaient pas. Il a ainsi reconnu qu'il avait au moins sur eux cette supériorité, c'est que, n'étant pas sage, il ne croyait pas non plus qu'il l'était. Les jeunes gens qui le fréquentaient l'ont imité, et tous ces gens convaincus d'ignorance, soit par lui, soit par les jeunes gens, au lieu de s'en prendre à eux-mêmes, l'accusent de corrompre la jeunesse.

Ce sont ces calomnies invétérées qui ont enhardi Mélètos, Anytos et Lycon à porter la plainte qu'ils ont déposée contre lui. Il va essayer de les réfuter dans la première partie de son discours. Il entreprend d'abord de ridiculiser Mélètos et de faire voir aux juges que ce grand justicier ne s'est jamais préoccupé de l'éducation de la jeunesse. Il procède comme dans ses enquêtes journalières et, par une série de questions habilement conduites, il réduit son adversaire à déclarer que tout le monde est capable d'améliorer la jeunesse et que Socrate seul la corrompt. Mais comment pourrais-je le faire ? demande-t-il. Ne sais-je pas qu'en semant le mal on ne récolte que le mal ? Comme tout homme sensé, je ne puis donc la corrompre qu'involontairement; dès lors je ne mérite que des remontrances, et non un châtiment.

Mélètos n'est pas plus conséquent avec lui-même, quand il accuse Socrate de nier l'existence des dieux. D'une part, il prétend que Socrate ne croit pas aux dieux, et de l'autre il affirme qu'il croit aux choses démoniaques et donc aux démons, qui sont fils des dieux. C'est comme s'il disait : Socrate croit aux dieux et Socrate ne croit pas aux dieux.

Mais pourquoi Socrate se livre-t-il à des occupations qui le mettent en danger de périr ? C'est que, lorsqu'on a choisi soi-même un poste ou qu'on y a été placé par un chef, on ne doit pas le déserter, dût-on y laisser la vie. Or il s'est donné, sur l'ordre du dieu de Delphes, la mission d'améliorer ses concitoyens, et, tant qu'il aura un souffle de vie, il s'attachera comme un taon aux Athéniens pour les piquer et les exciter à la vertu. Soit, dira-t-on; mais puisqu'il veut servir les véritables intérêts de ses concitoyens, pour quelle raison ne monte-t-il pas à la tribune pour donner des conseils à la république ? C'est qu'une voix divine, qui lui est familière, l'en a toujours détourné, et avec raison; car avec sa franchise et son attachement aux lois, il n'aurait pas vécu longtemps. Il s'en est bien rendu compte lorsque, seul entre tous, il osa tenir tête à l'assemblée en délire dans le procès des généraux des Arginuses et lorsqu'il refusa d'obéir aux Trente tyrans qui lui avaient donné l'ordre d'aller arrêter Léon de Salamine, un innocent qu'ils voulaient mettre à mort. Soit dans sa vie publique, soit dans sa vie privée, Socrate n'a jamais fait une concession contraire à la justice, pas même à ceux que le vulgaire appelle ses disciples. S'il les avait corrompus, eux-mêmes ou leurs parents se lèveraient pour l'accuser; mais aucun ne l'accuse.

Socrate a dit ce qu'il avait à dire pour sa défense. Il s'en tiendra là : il ne recourra pas, comme les autres accusés, à des supplications qui sont indignes de lui et indignes des juges, lesquels ne doivent pas céder à la pitié, mais n'écouter que la justice. Il s'en remet donc aux juges et à Dieu de décider ce qu'il y a de mieux pour eux et pour lui.

DEUXIÈME PARTIE. — Après ce plaidoyer, les juges allèrent aux voix et Socrate fut déclaré coupable par une majorité de soixante voix. Dans les procès comme celui-ci, où la loi ne fixait pas la peine, l'accusateur en proposait une, et l'accusé, s'il était déclaré coupable, en proposait une autre, et le jury choisissait l'une ou l'autre, sans pouvoir y rien changer. Les adversaires de Socrate requéraient la mort. Invité à fixer sa peine, il estima, lui, qu'au lieu d'une peine, ses services méritaient une récompense, et il demanda à être nourri au prytanée. Et ce ne fut point par bravade, comme l'interprétèrent sans doute un grand nombre de juges, qu'il fit cette proposition inattendue; mais, n'ayant jamais fait de mal à personne, il ne voulait pas non plus, dit-il, s'en faire à lui-même. Il ne voulait ni de l'exil ni d'une amende qu'il n'aurait pu payer. Pourtant il offrit une mine, puis, pressé par ses amis présents, trente mines.

TROISIÈME PARTIE. — Là-dessus, il fut condamné à mort par une majorité plus forte que la première. Puis, tandis que l'on exécutait les formalités nécessaires pour le mener en prison, il reprit doucement les juges qui

n'avaient pas eu la patience d'attendre la mort d'un
vieillard de soixante-dix ans. Il s'adressa d'abord à
ceux qui l'avaient condamné et s'étaient ainsi chargés
d'un crime inutile, puisqu'ils n'échapperaient pas aux
censures d'une jeunesse moins retenue que lui. Il s'adressa
ensuite à ceux qui l'avaient absous et les rassura sur son
sort. La mort, leur dit-il, ne saurait être un mal pour lui.
La voix prophétique ne l'avait point arrêté au cours du
procès : c'est donc qu'elle approuvait ce qui allait se
passer. Et en effet pourquoi craindrait-il la mort ? Si c'est
un sommeil, c'est un bonheur. Si c'est un passage dans un
autre lieu, où l'on doit rencontrer les héros des temps
passés, quel plaisir ce sera de converser avec eux!
Aussi n'a-t-il point de ressentiment contre ceux qui l'ont
condamné. Enfin, avant de prendre congé d'eux, il
recommande aux Athéniens de traiter ses enfants comme
il a traité lui-même ses concitoyens et de les morigéner
s'ils préfèrent les richesses à la vertu. « Et maintenant,
voici l'heure, dit-il, de nous en aller, moi pour mourir,
vous pour vivre. Qui de nous a le meilleur partage, nul ne
le sait, excepté le dieu. »

Comment, après s'être expliqué avec tant de sincérité,
tant de noblesse et de grandeur d'âme, Socrate put-il
être ainsi méconnu et condamné ? Ce n'est pas qu'il ait
insuffisamment réfuté le réquisitoire de ses accusateurs
et qu'il ait, comme on l'a dit, escamoté les accusations de
Mélètos en se moquant de lui, pour éviter de s'expliquer
à fond sur les dieux et sa manière d'instruire la jeunesse.
Sans doute il se faisait des dieux une idée plus haute
que le vulgaire; il rejetait, comme le fera Platon dans la
République, les combats, les adultères, les crimes et les
vices que les légendes sacrées leur prêtaient. Mais cela
ne l'empêchait pas de les honorer et de leur sacrifier
publiquement; car il avait l'âme religieuse, mystique
même, et ce serait une erreur de voir en lui ce que nous
appellerions un libre penseur. Il pratiquait la religion
courante comme le feront ses disciples Xénophon et
Platon. Il n'était donc pas condamnable de ce chef. Il
ne l'était pas davantage d'introduire des divinités nouvelles. Ce que visait ici l'accusation, c'est le signe divin
qui avertissait Socrate quand il allait faire quelque chose
de mal. Mais ce signe divin n'était pas une chose extraordinaire dans la religion grecque, puisqu'il était admis que
les dieux avertissaient qui ils voulaient par la voie des
oracles, des rencontres, des augures ou de toute autre

manière qu'il leur plaisait. Tout au plus ses juges pou-
vaient-ils se choquer qu'il se prétendît ainsi spécia-
lement favorisé par les dieux. Quant à corrompre la
jeunesse, le reproche ne pouvait guère paraître plus
fondé. Il est vrai que quelques pères de famille auraient
pu se plaindre que Socrate s'interposât entre eux et leurs
enfants ; mais n'est-ce point le cas de tous les pédagogues
et précepteurs auxquels les parents confient leurs fils ?
Ceux-là seuls qui avaient fréquenté Socrate, ou leurs
parents, auraient pu se plaindre de cette prétendue corruption. Or aucun ne se leva pour l'accuser.

Il fut cependant condamné. Quelles furent donc les
véritables causes de sa condamnation ? Socrate, qui s'y
attendait, nous l'a dit lui-même. Ce furent les haines
qu'il s'attira en démasquant l'ignorance des grands personnages en présence des jeunes gens, qui prenaient
grand plaisir à les voir confondus. Mais il y eut d'autres
raisons. Dès avant les attaques d'Aristophane, comme on
le voyait discuter comme les sophistes et disputer avec
eux, le peuple ignorant le prenait lui-même pour un
sophiste. Or les sophistes, destructeurs des vieilles traditions, passaient pour des impies, des athées et des pro-
fesseurs d'immoralité. C'est aussi l'idée que beaucoup se
faisaient de Socrate, et, comme il le dit lui-même, ce
n'est pas dans le peu de temps que lui mesurait la clep-
sydre qu'il pouvait les détromper. Il est certain aussi,
bien qu'il n'en soit pas question dans l'*Apologie*, qu'à ces
raisons morales s'ajoutèrent aussi des raisons politiques.
Ses relations avec les jeunes gens riches, qui seuls avaient
le loisir de le suivre, le rendaient suspect aux chefs du
parti populaire. Il ne cachait pas d'ailleurs le dédain que
lui inspirait le régime de flatterie et d'incompétence
qu'était la démocratie athénienne. Enfin, bien qu'il ne
soit pas fait mention dans l'*Apologie* de Critias et d'Alcibiade, on peut croire que les rapports qu'il avait eus avec
ces deux hommes funestes renforcèrent dans l'esprit des
juges la conviction qu'il corrompait la jeunesse. C'est ce
qui me semble résulter du passage 33 a et b, où il affirme
qu'il n'avait jamais fait de concession contraire à la
justice, même à ceux que ses calomniateurs appelaient
ses disciples, et où il ajoute ensuite que, si quelqu'un de
ceux qui l'ont entendu tourne bien ou mal, il n'en est pas
responsable. Polycratès insistera sur ce point dans son
Accusation contre Socrate ; mais il est à présumer qu'on
avait dit à ceux des jurés qui l'ignoraient que Critias et

Alcibiade avaient suivi les leçons de Socrate. Malgré ces
haines et ces préventions, il est à peu près certain, étant
donné la faible majorité qui le déclara coupable, que, s'il
eût voulu s'abaisser aux supplications et s'il eût amené
ses enfants pour émouvoir la pitié des jurés, il eût été
acquitté, et l'on peut dire que, s'il ne le fut pas, c'est qu'il
se laissa volontairement condamner. C'est sa μεγαληγορία,
c'est-à-dire la fierté de son langage, qui le perdit dans
l'esprit de ses juges. Sa demande d'être nourri au prytanée, en dépit de ce qu'il put dire, fut prise pour une bravade et fit passer un certain nombre de ceux qui l'avaient
absous d'abord dans le camp de ses adversaires.

La fierté avec laquelle Socrate s'était défendu avait
frappé tous ceux qui avaient assisté à son procès. C'est
ce dont témoigne Xénophon, qui n'était pas présent,
mais qui le tenait d'Hermogène, un fidèle ami de Socrate,
qui avait suivi les débats. C'est d'après les récits d'Hermogène que Xénophon a composé lui aussi une *Apologie*
de Socrate, qu'il publia quelques années, semble-t-il,
après celle de Platon. Les deux auteurs s'accordent sur les
points essentiels, sur les trois phases du procès : réfu-
tation de l'accusation, fixation de la peine, allocution
finale aux juges, et sur le fond de l'argumentation de
Socrate pour se disculper des trois griefs allégués contre
lui. Mais il y a des divergences sur des points de détail.
Chez Platon, la voix divine arrête Socrate, mais ne le
pousse jamais à agir; chez Xénophon, elle ne se borne
pas à l'arrêter, elle lui indique aussi ce qu'il doit faire.
Chez Xénophon, nous entendons le jury murmurer, quand
Socrate parle de ses avertissements divins, et se récrier
plus fort encore, quand il rapporte l'oracle recueilli par
Khairéphon. Autre différence : Socrate, chez Xénophon,
refuse absolument de proposer une peine contre lui-même,
parce que ce serait se déclarer coupable; mais il ne
demande pas à être nourri au prytanée. C'est ce qu'il
fait chez Platon, avant de condescendre à proposer d'abord
une mine, puis, sur les instances de ses amis, trente mines.
Enfin, dans l'allocution finale, Xénophon ne parle pas
des idées que Socrate exprime, dans Platon, sur la mort
et sur l'espoir qu'il a de s'entretenir dans l'Hadès avec
Palamède et les autres héros anciens : il se borne à dire
que Socrate se console de sa mort en la comparant à la
mort injuste de Palamède. Sur tous ces points, c'est Platon
qu'il faut en croire; car il fut un témoin oculaire du procès
et il rédigea les discours de Socrate quelque trois ans

seulement après la mort de son maître. S'il avait inventé
des choses que Socrate n'aurait pas dites, notamment
la demande d'être nourri au prytanée, il aurait été
démenti et honni par les juges et les assistants, qui avaient
gardé des débats un souvenir d'autant plus exact qu'il
était relativement récent.

Au reste, l'*Apologie* de Xénophon est fort courte :
c'est un résumé des récits que lui a faits Hermogène,
et l'image qu'il nous présente de Socrate n'y est pas toujours exacte. Quand, pour expliquer la fierté de langage
de Socrate, il nous dit qu'il était devenu indifférent à la
vie, parce qu'il craignait les ennuis de la vieillesse, il
oublie que Socrate, avec son admirable constitution,
pouvait se promettre encore dix ans de vie pour con-
tinuer sa mission, à laquelle il était invinciblement
attaché. A entendre Socrate vanter sa tempérance, son
désintéressement, sa justice, comme il le fait chez Xénophon, on ne reconnaît ni la modestie, ni la bonhomie, ni
l'ironie de l'enchanteur qui attirait la jeunesse autour de
lui. Ces qualités se retrouvent au contraire dans les discours que Platon prête à son maître. Il le fait parler comme
il parlait sans doute à l'agora ou dans les gymnases, avec
une simplicité familière, mais toujours décente, sans
prétention ni recherche d'aucune sorte, mais, quand le
sujet s'y prête, avec une ironie mordante ou une élévation
singulière. On reconnaît à son langage l'esprit original,
la moralité supérieure, l'enthousiasme mystique de ce
prédicateur qui scella de sa mort les exemples et les leçons
qu'il avait donnés pendant sa vie.

APOLOGIE DE SOCRATE

I. — Quelle impression mes accusateurs ont faite sur vous, Athéniens, je l'ignore. Pour moi, en les écoutant, j'ai presque oublié qui je suis, tant leurs discours étaient persuasifs. Et cependant, je puis l'assurer, ils n'ont pas dit un seul mot de vrai. Mais ce qui m'a le plus étonné parmi tant de mensonges, c'est quand ils ont dit que vous deviez prendre garde de vous laisser tromper par moi, parce que je suis habile à parler. Qu'ils n'aient point rougi à la pensée du démenti formel que je vais à l'instant leur donner, cela m'a paru de leur part le comble de l'impudence, à moins qu'ils n'appellent habile à parler celui qui dit la vérité. Si c'est là ce qu'ils veulent dire, j'avouerai que je suis orateur, mais non à leur manière. Quoi qu'il en soit, je vous répète qu'ils n'ont rien dit ou presque rien qui soit vrai. Moi, au contraire, je ne vous dirai que l'exacte vérité. Seulement, par Zeus, Athéniens, ce ne sont pas des discours parés de locutions et de termes choisis et savamment ordonnés que vous allez entendre, mais des discours sans art, faits avec les premiers mots venus. Je suis sûr de ne rien dire que de juste; qu'aucun de vous n'attende de moi autre chose.

Il siérait mal, Athéniens, je crois, à un homme de mon âge de venir devant vous façonner des phrases comme le font nos petits jeunes gens. Aussi, Athéniens, ai-je une demande, et une demande instante, à vous faire, c'est que, si vous m'entendez présenter ma défense dans les mêmes termes que j'emploie pour vous parler, soit à l'agora et près des tables des banquiers, où beaucoup d'entre vous m'ont entendu, soit en d'autres endroits, vous n'alliez pas vous en étonner et vous récrier. Car, sachez-le, c'est aujourd'hui la première fois que je comparais devant un tribunal, et j'ai plus de soixante-dix ans;

aussi je suis véritablement étranger au langage qu'on
parle ici. Si je n'étais pas athénien, vous m'excuseriez
sans doute de parler dans le dialecte où j'aurais été élevé
et à la manière de mon pays. Eh bien, je vous demande
aujourd'hui, et je crois ma demande juste, de ne pas
prendre garde à ma façon de parler, qui pourra être plus
ou moins bonne, et de ne considérer qu'une chose et d'y
prêter toute votre attention, c'est si mes allégations
sont justes ou non; car c'est en cela que consiste le
mérite propre du juge; celui de l'orateur est de dire la
vérité.

II. — Et maintenant, Athéniens, il est juste que je
commence par répondre aux anciennes calomnies répandues contre moi et à mes premiers accusateurs; je répondrai ensuite aux accusations et aux accusateurs plus
récents. Car j'ai été accusé près de vous, et depuis de
longues années déjà, par bien des gens qui ne disaient rien
de vrai, et ceux-là, je les crains plus qu'Anytos et ses asso-
ciés, qui pourtant sont à craindre, eux aussi. Oui, Athéniens, les premiers sont les plus redoutables, parce que,
prenant la plupart d'entre vous dès l'enfance, ils m'ont
chargé d'accusations qui ne sont que mensonges et vous
ont fait croire qu'il existe un certain Socrate, savant
homme, qui spécule sur les phénomènes célestes, recherche
ce qui se passe sous la terre et qui d'une méchante cause
en fait une bonne. Les gens qui ont répandu ces bruits,
voilà, Athéniens, les accusateurs que j'ai à craindre. Car
ceux qui les écoutent sont persuadés que les gens qui se
livrent à ces recherches n'honorent pas les dieux. J'ajoute
que ces accusateurs-là sont nombreux et qu'ils m'accusent
depuis longtemps; en outre ils s'adressaient à vous à l'âge
où vous étiez le plus crédules, quand quelques-uns de vous
étaient encore enfants ou adolescents, et ils me faisaient un
véritable procès par défaut, puisque personne n'était là
pour me défendre. Et ce qu'il y a de plus déconcertant,
c'est qu'il n'est même pas possible de les connaître et de
les nommer, sauf peut-être certain poète comique [1]. Mais
ceux qui, par envie ou par dénigrement, cherchaient à
vous persuader, et ceux qui, persuadés eux-mêmes, en
persuadaient d'autres, ceux-là sont les plus embarras-
sants; car il n'est même pas possible de faire comparaître
ici aucun d'eux ni de les réfuter, et il me faut vraiment,
comme on dit, me battre contre des ombres, et, pour me
défendre, confondre des adversaires, sans que personne

me réponde. Mettez-vous donc dans l'esprit que, comme je vous le dis, j'ai affaire à deux sortes d'accusateurs, d'une part ceux qui m'ont dernièrement cité en justice, et de l'autre, les anciens, dont je viens de parler. Persuadez-vous que c'est à ces derniers que je dois répondre d'abord; car ce sont eux dont vous avez entendu d'abord les accusations, et beaucoup plus que celles des autres, plus récents.

Cela dit, Athéniens, il faut à présent me défendre et tenter de vous ôter la mauvaise impression que vous avez nourrie si longtemps, et vous l'ôter dans un temps bien court. Je voudrais bien y parvenir, si vous et moi devons en tirer quelque avantage, et ne pas perdre ma peine à faire mon apologie; mais cela me paraît difficile et je ne me fais pas d'illusion sur ce point. Que les choses tournent donc comme il plaît à Dieu; je n'en dois pas moins obéir à la loi et plaider ma cause.

III. — Remontons donc à l'origine et voyons sur quoi repose l'accusation qui m'a fait tant décrier et qui a enhardi Mélétos à rédiger contre moi cette accusation. Voyons, que disaient au juste ceux qui me calomniaient? Supposons qu'ils nous traduisent devant vous et lisons leur acte d'accusation: « *Socrate est coupable : il recherche indiscrètement ce qui se passe sous la terre et dans le ciel, il rend bonne la mauvaise cause et il enseigne à d'autres à faire comme lui.* » En voilà la teneur : c'est ce que vous avez vu de vos propres yeux dans la comédie d'Aristophane, c'est-à-dire un certain Socrate qu'on charrie à travers la scène, qui déclare qu'il se promène dans les airs et qui débite cent autres extravagances sur des sujets où je n'entends absolument rien[2]. Et ce que j'en dis n'est pas pour déprécier cette science, s'il y a quelqu'un qui soit entendu en ces matières, et pour éviter un nouveau procès de la part de Mélétos; mais c'est que réellement je ne m'en occupe en aucune façon. J'en prends à témoin la plupart d'entre vous, et je vous demande de vous renseigner mutuellement et de rapporter ce que vous savez, vous tous qui m'avez entendu discourir. Beaucoup d'entre vous sont dans ce cas. Dites-vous donc les uns aux autres si jamais quelqu'un de vous m'a entendu discourir peu ou prou sur de tels sujets, et vous reconnaîtrez par là que tous les bruits que la foule fait courir sur mon compte sont du même acabit.

IV. — Il n'y a effectivement rien de réel dans ces bruits, et si quelqu'un vous a dit encore que je me mêle d'enseigner et me fais payer pour cela, cela non plus n'est pas vrai. Ce n'est pas d'ailleurs que je ne trouve beau d'être capable d'instruire des hommes, comme Gorgias le Léontin, comme Prodicos de Kéos, comme Hippias d'Elis [3]. Chacun de ces maîtres, Athéniens, dans quelque ville qu'il se rende, a le don d'attirer les jeunes gens, et quand ceux-ci pourraient s'attacher sans bourse délier à tel de leurs concitoyens qu'il leur plairait, ils leur persuadent de quitter la compagnie de leurs concitoyens pour s'attacher à eux, et les jeunes gens les payent pour cela et se tiennent encore pour leurs obligés. Il y a même ici, m'a-t-on dit, un autre savant homme, un citoyen de Paros [4], qui séjourne parmi nous. J'étais allé par hasard chez un homme qui a donné aux sophistes plus d'argent que tous les autres ensemble ; c'est Callias, fils d'Hipponicos [5]. Je lui posai une question à propos de ses deux fils : « Callias, lui dis-je, si au lieu de deux fils, tu avais eu deux poulains ou deux veaux, nous saurions leur choisir un instructeur qui, moyennant salaire, les rendrait aussi bons et beaux que le comporte leur nature, et cet instructeur serait un habile écuyer ou un laboureur expert. Mais, comme ce sont des hommes, qui as-tu dessein de prendre pour les gouverner ? Qui saura leur enseigner la vertu propre à l'homme et au citoyen ? Je ne doute pas que tu n'y aies réfléchi, puisque tu as des fils. As-tu quelqu'un, lui demandai-je, oui ou non ? — Oui, répondit-il. — Qui est-ce, demandai-je, de quel pays est-il et combien fait-il payer ses leçons ? — C'est Evènos, Socrate, répondit-il ; il est de Paros, il prend cinq mines. » Et moi, je trouvai que cet Évènos était un homme bien heureux, s'il est vrai qu'il possède cet art et qu'il l'enseigne à un prix si modéré. En tout cas, je serais moi-même bien fier et bien glorieux, si je savais en faire autant ; mais, franchement, Athéniens, je ne le sais pas.

V. — Cela étant, quelqu'un de vous dira peut-être : « Mais alors, Socrate, quelle affaire est-ce donc que la tienne ? D'où sont venues ces calomnies répandues contre toi ? Tu prétends que tu ne fais rien de plus extraordinaire que les autres ; mais tu ne serais sûrement pas l'objet de tant de bruits et de racontars, si tu ne faisais pas autre chose que les autres. Dis-nous donc ce qui en est, afin que nous ne te jugions pas à la légère. » Cette objection me paraît juste, et je vais essayer de vous expliquer d'où me sont venues cette notoriété et ces calomnies. Écoutez donc. Peut-être quelques-uns d'entre vous s'imagineront-ils que je plaisante; pourtant, soyez sûrs que je ne vous dirai que la vérité. La réputation qu'on m'a faite ne vient pas d'autre chose que d'une certaine sagesse qui est en moi. Quelle est cette sagesse ? C'est peut-être une sagesse purement humaine. Cette sagesse-là, il se peut que je la possède effectivement, tandis que ceux dont je parlais tout à l'heure en ont une qui est sans doute plus qu'humaine; sinon, je ne sais qu'en dire; car moi, je ne la connais pas et qui dit le contraire est un menteur et le dit pour me dénigrer.

Maintenant, Athéniens, n'allez pas murmurer, même si vous trouvez que je parle de moi trop avantageusement. Car le propos que je vais redire n'est pas de moi; mais celui auquel il faut le rapporter mérite votre confiance. Pour témoigner de ma sagesse, je produirai le dieu de Delphes, qui vous dira si j'en ai une et ce qu'elle est. Vous connaissez sans doute Khairéphon [6]. C'était mon camarade d'enfance et un ami du peuple, qui partagea votre récent exil et revint avec vous. Vous savez aussi quel homme c'était que Khairéphon et combien il était ardent dans tout ce qu'il entreprenait. Or, un jour qu'il était allé à Delphes, il osa poser à l'oracle la question que voici — je vous en prie encore une fois, juges, n'allez pas vous récrier —, il demanda, dis-je, s'il y avait au monde un homme plus sage que moi. Or la pythie lui répondit qu'il n'y en avait aucun. Et cette réponse, son frère, qui est ici, l'attestera devant vous, puisque Khairéphon est mort.

VI. — Considérez maintenant pourquoi je vous en parle. C'est que j'ai à vous expliquer l'origine de la calomnie dont je suis victime. Lorsque j'eus appris cette réponse de l'oracle, je me mis à réfléchir en moi-même : « Que veut dire le dieu et quel sens recèlent ses paroles ? Car moi, j'ai conscience de n'être sage ni peu ni prou. Que veut-il donc dire, quand il affirme que je suis le plus sage ? car il ne ment certainement pas; cela ne lui est pas permis. » Pendant longtemps je me demandai quelle était son idée; enfin je me décidai, quoique à grand-peine, à m'en éclaircir de la façon suivante : je me rendis chez un de ceux qui passent pour être des sages, pensant que je ne pouvais, mieux que là, contrôler l'oracle et lui déclarer : « Cet homme-ci est plus sage que moi, et toi, tu m'as proclamé le plus

sage. » J'examinai donc cet homme à fond ; je n'ai pas
besoin de dire son nom, mais c'était un de nos hommes
d'État, qui, à l'épreuve, me fit l'impression dont je vais
vous parler. Il me parut en effet, en causant avec lui,
que cet homme semblait sage à beaucoup d'autres et surtout à lui-même, mais qu'il ne l'était point. J'essayai alors
de lui montrer qu'il n'avait pas la sagesse qu'il croyait
avoir. Par là, je me fis des ennemis de lui et de plusieurs
des assistants. Tout en m'en allant, je me disais en moi-
même : « Je suis plus sage que cet homme-là. Il se peut
qu'aucun de nous deux ne sache rien de beau ni de bon ;
mais lui croit savoir quelque chose, alors qu'il ne sait rien,
tandis que moi, si je ne sais pas, je ne crois pas non plus
savoir. Il me semble donc que je suis un peu plus sage
que lui par le fait même que ce que je ne sais pas, je ne
pense pas non plus le savoir. » Après celui-là, j'en allai
trouver un autre, un de ceux qui passaient pour être plus
sages encore que le premier, et mon impression fut la
même, et ici encore je me fis des ennemis de lui et de
beaucoup d'autres.

VII. — Je n'en poursuivis pas moins mon enquête. Je
sentais bien, il est vrai, que je me faisais des ennemis, et
j'en éprouvais de l'ennui et de l'appréhension, mais je
me croyais obligé de mettre le service du dieu au-dessus
de tout. Il me fallait donc, pour m'enquérir du sens de
l'oracle, aller trouver tous ceux qui passaient pour pos-
séder quelque savoir. Or, par le chien [7], Athéniens, car
je vous dois la vérité, voici à peu près ce qui m'arriva.
Ceux qui étaient le plus réputés pour leur sagesse me
parurent être, sauf quelques exceptions, ceux qui en
manquaient le plus, en les examinant selon la pensée du
dieu, tandis que d'autres, qui passaient pour inférieurs,
me semblèrent être des hommes plus sensés. Il faut bien
que je vous raconte mes courses, comme autant de travaux
que j'accomplissais pour m'assurer que l'oracle était
irréfutable.

Après les hommes d'État, j'allai trouver les poètes,
auteurs de tragédies, auteurs de dithyrambes et autres,
comptant bien que cette fois j'allais prendre sur le fait
l'infériorité de ma sagesse à l'égard de la leur. Je pris
donc avec moi ceux de leurs ouvrages qu'ils me paraissaient avoir le plus travaillés et je leur demandai ce qu'ils
voulaient dire, afin de m'instruire en même temps auprès
d'eux. Or j'ai honte, Athéniens, de vous dire la vérité. Il le

faut pourtant. Eh bien, tous ceux qui étaient là présents, ou peu s'en faut, auraient mieux parlé de leurs poèmes qu'eux-mêmes qui les avaient faits. Je reconnus donc bien vite que les poètes aussi ne sont point guidés dans leurs créations par la science, mais par une sorte d'instinct et par une inspiration divine, de même que les devins et les prophètes, qui, eux aussi, disent beaucoup de belles choses mais sans se rendre compte de ce qu'ils disent. Les poètes me parurent être à peu près dans le même cas. Et je m'aperçus en même temps qu'à cause de leur talent poétique, ils se croyaient sur tout le reste les plus sages des hommes, ce qu'ils n'étaient pas du tout. Je les quittai donc, pensant que j'avais sur eux le même genre de supériorité que sur les hommes d'État.

VIII. — A la fin, je me rendis chez les artisans ; car, si moi, j'avais conscience que je ne savais à peu près rien, j'étais sûr de trouver en eux du moins des gens qui savent beaucoup de belles choses. En cela, je ne fus pas déçu : ils savaient en effet des choses que je ne savais pas et, en cela, ils étaient plus savants que moi. Seulement, Athéniens, ces bons artisans me parurent avoir le même défaut que les poètes. Parce qu'ils faisaient bien leur métier, chacun d'eux se croyait très entendu même dans les choses les plus importantes, et cette illusion éclipsait leur savoir professionnel ; si bien que, pour justifier l'oracle, je me demandais si je ne préférerais pas être tel que j'étais, sans partager ni leur science ni leur ignorance, plutôt que d'avoir l'une et l'autre comme eux. Aussi je répondis à moi-même et à l'oracle que j'avais avantage à être tel que j'étais.

IX. — Ce sont ces enquêtes, Athéniens, qui ont soulevé contre moi tant de haines si amères et si redoutables, et c'est de ces haines que sont venues tant de calomnies et cette renommée de sage qu'on m'a faite ; car ceux qui m'entendent s'imaginent toujours que je sais les choses sur lesquelles je démasque l'ignorance des autres. Mais il y a bien des chances, juges, que le dieu soit réellement sage et que par cet oracle il veuille dire que la sagesse humaine n'est pas grand-chose ou même qu'elle n'est rien. Et s'il a nommé Socrate, il semble bien qu'il ne s'est servi de mon nom que pour me prendre comme exemple. C'est comme s'il disait : « Le plus sage d'entre vous, hommes, c'est celui qui a reconnu comme Socrate que sa sagesse n'est rien. » Voilà pourquoi aujourd'hui encore je vais partout, enquêtant et questionnant tous ceux des citoyens et des étrangers qui me paraissent être sages ; et, quand je découvre qu'ils ne le sont pas, je me fais le champion du dieu, en leur démontrant qu'ils ne sont pas sages. Ainsi occupé, je n'ai jamais eu le loisir de m'intéresser sérieusement aux affaires de la ville ni aux miennes, et je vis dans une pauvreté extrême, parce que je suis au service du dieu.

X. — En outre, les jeunes gens qui s'attachent à moi spontanément, ayant beaucoup de loisir, parce que ce sont les fils des familles les plus riches, prennent plaisir à m'entendre examiner les gens et souvent ils m'imitent eux-mêmes et ils essayent d'en examiner d'autres, et il est certain qu'ils trouvent bon nombre de gens qui croient savoir quelque chose et qui ne savent rien ou peu de chose. Par suite, ceux qu'ils examinent s'en prennent à moi, au lieu de s'en prendre à eux-mêmes, et disent qu'il y a un certain Socrate, un scélérat, qui corrompt la jeunesse. Leur demande-t-on ce qu'il fait et enseigne pour le corrompre, ils sont incapables de le dire : ils l'ignorent ; mais pour ne pas laisser voir leur embarras, ils vous répondent par ces banalités qu'on ressasse contre tous ceux qui s'occupent de philosophie, qu'il recherche ce qui se passe dans le ciel et sous la terre, qu'il ne croit pas aux dieux et qu'il fait une bonne cause d'une mauvaise. Quant à dire ce qui est la vérité, qu'on les convainc de faire semblant de savoir, quand ils ne savent rien, c'est à quoi, je pense, ils ne sauraient se résoudre. Or comme ils veulent sans doute être honorés, qu'ils sont violents et nombreux, qu'ils font corps et savent se faire croire quand ils parlent de moi, ils vous ont rempli depuis longtemps et continuent encore aujourd'hui à vous remplir les oreilles de leurs calomnies acharnées. Ce sont ces calomnies qui ont enhardi Mélètos, Anytos et Lycon à m'attaquer, Mélètos exprimant la rancune des poètes, Anytos, celle des artisans et des hommes politiques, et Lycon, celle des orateurs. Aussi, comme je vous le disais en commençant, je serais bien étonné si je parvenais en si peu de temps à retirer de vos esprits cette calomnie qui a pris de si fortes racines.

Je vous ai dit la vérité, Athéniens, sans cacher ni dissimuler quoi que ce soit, important ou non. Cependant je suis à peu près sûr que je m'attire la haine pour les mêmes raisons que précédemment, ce qui est une preuve de plus que je dis vrai, que c'est bien là la calomnie qui me poursuit et que telle en est la source. Que vous enquêtiez sur cette affaire à présent ou plus tard, voilà ce que vous trouverez.

XI. — Sur les accusations portées contre moi par mes premiers accusateurs, je tiens que je vous en ai dit assez pour me justifier. Maintenant c'est à Mélètos, cet honnête homme si dévoué à la cité, à ce qu'il assure, et à mes récents accusateurs que je vais essayer de répondre. Faisons comme si nous avions affaire à des accusations nouvelles et donnons-en le texte comme pour les premières. Le voici à peu près : « Socrate, dit l'acte d'accusation, est coupable en ce qu'il corrompt la jeunesse, qu'il n'honore pas les dieux de la cité et leur substitue des divinités nouvelles. » Telle est l'accusation ; examinons-en tous les chefs l'un après l'autre.

L'accusateur me déclare coupable de corrompre la jeunesse. Et moi, Athéniens, je dis que c'est Mélètos qui est coupable en ce qu'il se fait un jeu des choses sérieuses, lorsqu'il traduit les gens en justice à la légère et fait semblant de s'appliquer et de s'intéresser à des choses dont il ne s'est jamais mis en peine. Que ce soit là l'exacte vérité, c'est ce que je vais essayer de vous montrer.

XII. — Approche ici, Mélètos, et réponds. N'attaches-tu pas une grande importance aux moyens de rendre les jeunes gens aussi vertueux que possible ? — Si. — Eh bien, allons, dis à ces juges quel est celui qui les rend meilleurs. Il est certain que tu le sais, puisque tu en as souci. Puisque tu as, dis-tu, découvert l'homme qui les corrompt et que c'est pour cela que tu me poursuis et m'incrimines devant ce tribunal, allons, nomme aussi celui qui les rend meilleurs et fais-le connaître à ces juges. Tu le vois, Mélètos, tu gardes le silence et tu ne sais que dire. Cela ne te semble-t-il pas honteux et n'est-ce pas une preuve suffisante de ce que j'avance, que tu ne t'en es jamais soucié ? Allons, parle, mon bon, qui est-ce qui les rend meilleurs ? — Les lois. — Ce n'est pas cela que je te demande, excellent jeune homme, mais quel est l'homme qui les rend meilleurs, étant entendu qu'avant tout il connaît ces lois dont tu parles. — Ce sont les hommes que tu as devant toi, Socrate, les juges. — Comment dis-tu, Mélètos ? Ces hommes-ci sont capables d'instruire les jeunes

gens et de les rendre meilleurs ? — Certainement. — Le
sont-ils tous, ou y en a-t-il qui le sont et d'autres qui ne le
sont pas ? — Ils le sont tous. — Par Hèra [8], tu parles d'or
et nous ne manquerons pas de bons précepteurs. Mais dis-
moi aussi, ces gens qui nous écoutent rendent-ils les
jeunes gens meilleurs ou non ? — Eux aussi les rendent
meilleurs. — Et nos sénateurs ? — Nos sénateurs aussi.
— Mais alors, Mélétos, ne serait-ce pas les citoyens
réunis en assemblée, les ecclésiastes, qui corrompent
les jeunes gens ? ou bien eux aussi, sans en excep-
ter un, les rendent-ils meilleurs ? — Oui, eux aussi. —
Alors tous les Athéniens, à ce qu'il paraît, les rendent
beaux et bons, excepté moi, et je suis le seul qui les corrompt. C'est bien cela que tu dis ? — C'est exactement
cela. — Je n'ai vraiment pas de chance, si tu dis vrai.
Mais réponds-moi. Crois-tu qu'il en soit de même, s'il
s'agit de chevaux, et que tout le monde soit à même de
les dresser et qu'un seul homme les gâte ? ou est-ce tout
le contraire, et n'y en a-t-il qu'un seul, ou un très petit
nombre, les écuyers, qui soient capables de les dresser,
tandis que la plupart des gens, s'ils les montent et s'en
servent, ne font que les gâter ? N'en est-il pas ainsi, Mélètos, et des chevaux et de tous les autres animaux ? Oui,
assurément, qu'Anytos et toi vous en conveniez ou n'en
conveniez pas. Ce serait vraiment un grand bonheur pour
les jeunes gens, s'il était vrai qu'un seul les corrompe et
que les autres les perfectionnent. Mais la réalité est tout
autre, Mélétos, et tu fais assez voir que tu ne t'es jamais
jusqu'ici inquiété des jeunes gens, et ton indifférence
paraît clairement en ce fait que tu ne t'es jamais soucié des
choses pour lesquelles tu me poursuis.

XIII. — Mais, au nom de Zeus, Mélétos, dis-moi
encore lequel vaut mieux de vivre avec des citoyens honnêtes ou avec des méchants. Allons, mon ami, réponds ;
je ne te demande rien de difficile. N'est-il pas vrai que les
méchants font toujours du mal à ceux qui les approchent
de près, et les honnêtes gens du bien ? — C'est vrai. —
Maintenant y a-t-il un homme qui veuille être lésé plutôt
qu'aidé par ceux qu'il fréquente ? Réponds, mon brave ;
car la loi veut qu'on réponde. Y a-t-il un homme qui
veuille être lésé ? — Non, assurément. — Or çà, voyons : en
me poursuivant ici, sous prétexte que je corromps les jeunes
gens et que je les porte au mal, entends-tu que je le fais
volontairement ou involontairement ? — Volontairement.

— Eh quoi ! Mélètos, jeune comme tu es, me dépasses-tu de si loin en sagesse, moi qui suis un homme âgé ? Quoi ! tu as reconnu, toi, que les méchants font toujours du mal à ceux qui les approchent de près, et les honnêtes gens du bien ; et moi, je suis arrivé à un tel degré d'ignorance que je ne sais même pas que, si je rends méchant quelqu'un de ceux qui vivent avec moi, je m'expose à en recevoir du mal ! et c'est volontairement, dis-tu, que je commets une pareille faute ! Cela, Mélètos, tu ne me le feras pas croire et je suis sûr que personne au monde ne le croira. Ce qui est vrai, c'est que je ne corromps personne ou, si je corromps quelqu'un, c'est involontairement, en sorte que, dans un cas comme dans l'autre, tu mens. Mais, si je corromps involontairement, ce n'est pas ici qu'il faut, d'après la loi, poursuivre ces fautes involontaires : il faut prendre l'auteur en particulier et l'instruire et l'avertir ; car il est évident qu'une fois instruit, je ne ferai plus ce que je fais sans le vouloir. Mais toi, tu as toujours évité de causer avec moi et de m'instruire ; tu n'as jamais pu t'y résoudre, et c'est ici que tu me cites, ici où la loi veut qu'on défère ceux qui méritent d'être châtiés, mais non ceux qui ont besoin de remontrances.

XIV. — A présent, Athéniens, vous vous rendez clairement compte de ce que je disais tout à l'heure, que Mélètos ne s'est jamais ni peu ni prou soucié de tout cela. Néanmoins explique-nous, Mélètos, de quelle façon tu prétends que je corromps les jeunes gens. N'est-il pas clair, d'après la plainte que tu as rédigée, que c'est en enseignant à ne pas honorer les dieux que la cité révère et en leur substituant d'autres divinités ? N'est-ce pas, selon toi, en leur enseignant cela que je les corromps ? — Oui, et je l'affirme énergiquement. — Alors, Mélètos, au nom de ces dieux mêmes dont il est question, explique-nous plus clairement encore ta pensée à ces juges et à moi ; car il y a une chose que je n'arrive pas à saisir. Veux-tu dire que j'enseigne à croire qu'il y a certains dieux — en ce cas, croyant moi-même à des dieux, je ne suis pas du tout athée ni coupable de ce chef — mais que ce ne sont pas les dieux de l'État, que ce sont des dieux différents, et que c'est précisément cela que tu me reproches, ou bien veux-tu dire que je ne crois pas du tout aux dieux et que j'enseigne cette doctrine aux autres ? — C'est cela que je soutiens, que tu ne reconnais pas du tout de dieux. — O merveilleux Mélètos, pour quelle raison le soutiens-tu ? A t'entendre,

je ne reconnais même pas, comme tout le monde, le soleil
ni la lune pour des dieux ? — Non, par Zeus, juges, il
ne les reconnaît pas, puisqu'il prétend que le soleil est
une pierre et la lune une terre. — C'est Anaxagore[9] que
tu crois accuser, mon cher Mélètos. Méprises-tu donc à
ce point ces juges et les crois-tu tellement illettrés qu'ils
ne sachent pas que ce sont les livres d'Anaxagore de
Clazomènes qui sont pleins de ces théories ? Et tu veux
que les jeunes gens s'en instruisent auprès de moi, lorsqu'ils peuvent parfois acheter ces livres à l'orchestre[10]
pour une drachme tout au plus, et ensuite se moquer de
Socrate, s'il donne ces idées comme étant de lui, alors
surtout qu'elles sont si étranges. Enfin, par Zeus, est-ce
bien ta pensée, que je ne crois à aucun dieu ? — Oui, par
Zeus, tu ne crois absolument à aucun. — Comment te
croire, Mélètos ? tu ne saurais te croire toi-même, ce me
semble. Pour moi, Athéniens, je pense que Mélètos est
un homme violent et sans retenue, et qu'il ne m'a intenté
cette accusation que pour m'outrager et parce qu'il est
jeune et inconsidéré. On dirait qu'il a composé une énigme
pour m'éprouver. « Voyons, s'est-il dit, si Socrate, ce
savant homme, reconnaîtra que je plaisante et que je tiens
des propos contradictoires, ou si je l'attraperai, lui et tous
ceux qui nous écoutent. » Il me paraît en effet qu'il se
contredit dans son acte d'accusation. C'est comme s'il
disait : « Socrate est coupable de ne pas croire qu'il y a des
dieux, mais de croire qu'il y en a. » C'est tout bonnement
une plaisanterie.

XV. — Examinez avec moi, Athéniens, en quoi je
pense qu'il se contredit. Toi, Mélètos, réponds-nous, et
vous, souvenez-vous de la prière que je vous ai faite en
commençant et ne protestez pas si je donne à mes discours
la forme qui m'est coutumière.

Y a-t-il au monde, Mélètos, un homme qui croie qu'il
existe des choses humaines et qui ne croie pas qu'il existe
des hommes ? Qu'il réponde, juges, au lieu de se sauver à
travers champs. Y a-t-il un homme qui ne croie pas aux
chevaux et qui croie aux usages qu'on en fait ? qui ne croie
pas aux joueurs de flûte, mais qui croie à leur art ? Non, il
n'y en a pas, excellent homme. Puisque tu ne veux pas
répondre, c'est moi qui te le dis, à toi et à cette assemblée.
Mais réponds au moins à la question qui s'ensuit. Y a-t-il
quelqu'un qui croie qu'il y a des choses démoniaques et
qui ne croie pas aux démons ? — Non. — Je te suis bien

obligé de m'avoir répondu, bien que tu l'aies fait avec peine et contraint par ces juges. Ainsi donc tu conviens que j'admets et enseigne des choses démoniaques, qu'elles soient nouvelles ou anciennes, il n'importe. Toujours est-il, d'après ce que tu dis, que je crois aux choses démoniaques, et même tu l'as attesté par serment dans ton acte d'accusation. Mais si je crois aux choses démoniaques il faut de toute nécessité, n'est-ce pas ? que je croie aussi aux démons. La conséquence n'est-elle pas forcée ? Si, elle l'est, je dois admettre que tu en conviens, puisque tu ne réponds pas. Or ces démons, ne les regardons-nous pas comme des dieux ou des enfants des dieux ? En conviens-tu, oui ou non ? — J'en conviens. — En conséquence, si je crois aux démons, comme tu le reconnais, et si les démons sont des dieux à quelque titre que ce soit, voilà ce qui me fait dire que tu parles par énigmes et que tu te moques en disant que je ne crois pas aux dieux et ensuite que je crois à des dieux, puisque je crois aux démons. D'un autre côté, si les démons sont des enfants bâtards des dieux, nés de nymphes ou d'autres mères, comme on le rapporte, qui pourrait croire qu'il y a des enfants des dieux, mais qu'il n'y a pas de dieux ? Ce serait aussi absurde que de croire que les mulets sont fils de juments et d'ânes, mais qu'il n'existe ni chevaux ni ânes. Oui, Mélètos, il est certain qu'en m'intentant cette action, tu as voulu m'éprouver ou que tu t'es trouvé embarrassé de trouver contre moi un grief véritable. Mais que tu persuades jamais à une personne tant soit peu sensée que le même homme puisse croire qu'il y a des choses démoniaques et des choses divines et que d'autre part il n'y a ni démons, ni dieux, ni héros, cela est absolument impossible.

XVI. — A vrai dire, Athéniens, pour vous convaincre que je ne suis pas coupable des méfaits dont Mélètos me charge, je ne crois pas devoir prolonger ma démonstration : ce que j'ai dit suffit. Mais, comme je vous l'ai déclaré précédemment, j'ai contre moi de violentes et nombreuses inimitiés, et rien n'est plus vrai, sachez-le bien. Et c'est ce qui me perdra, si je dois être condamné : ce ne sera en effet ni Mélètos, ni Anytos, mais bien les calomnies et l'envie de cette foule de gens, qui ont déjà perdu beaucoup d'autres hommes de bien et qui en perdront sans doute encore ; car il n'est pas probable que le mal s'arrête à moi.

Mais quelqu'un me dira peut-être : « Alors, tu n'as pas honte, Socrate, d'avoir embrassé un genre de vie d'où tu risques aujourd'hui de mourir ? » Je puis opposer à cet homme cette juste réponse : « Tu n'es pas dans le vrai, mon ami, si tu crois qu'un homme qui a tant soit peu de valeur doit calculer les chances qu'il a de vivre ou de mourir. Il ne doit, quoi qu'il fasse, considérer qu'une chose, s'il agit justement ou injustement, s'il se conduit en homme de cœur ou en lâche. A t'entendre, il faudrait taxer de faibles d'esprit tous les demi-dieux qui sont morts à Troie, notamment le fils de Thétis, qui compta pour si peu le danger en présence du déshonneur. Le voyant impatient de tuer Hector, sa mère, qui était déesse, lui parla à peu près en ces termes, si j'ai bonne mémoire : « Mon enfant, si tu venges la mort de Patrocle et si tu fais périr Hector, tu mourras, toi aussi ; car immédiatement après Hector, dit-elle, c'est la destinée qui t'attend. » Cette prophétie ne l'empêcha pas de mépriser la mort et le danger ; il craignait bien plus de vivre en lâche sans venger ses amis. « Que je meure, aussitôt après avoir puni le meurtrier, s'écria-t-il, afin de ne pas rester ici, près des vaisseaux recourbés, en butte à la risée, inutile fardeau de la terre ! » Penses-tu qu'il ait eu souci, lui, de la mort et du danger ? Voici, en effet, Athéniens, la vraie règle de conduite : tout homme qui a choisi un poste parce qu'il le jugeait le plus honorable ou qui y a été placé par un chef, doit, selon moi, y rester, quel que soit le danger, et ne considérer ni la mort ni aucun autre péril, mais avant tout l'honneur.

XVII. — Ce serait donc de ma part une étrange contradiction, Athéniens, si, après être resté tout comme un autre à risquer la mort dans tous les postes où les généraux que vous aviez élus pour me commander m'avaient placé, à Potidée [11], à Amphipolis [12], à Dèlion [13], j'allais maintenant, par crainte de la mort ou de tout autre danger, déserter le poste où je me suis imaginé et persuadé que le dieu m'appelait, en m'ordonnant de vivre en philosophant et en m'examinant moi-même et les autres. C'est cela qui serait grave, et c'est alors vraiment qu'on pourrait me traduire en justice pour ne pas croire à l'existence des dieux, puisque je désobéirais à l'oracle, que je craindrais la mort et que je me croirais sage alors que je ne le serais pas. Car craindre la mort, Athéniens, ce n'est pas autre chose que de se croire sage, alors qu'on

ne l'est pas, puisque c'est croire qu'on sait ce qu'on ne
sait pas. Personne, en effet, ne sait ce qu'est la mort et si
elle n'est pas justement pour l'homme le plus grand des
biens, et on la craint, comme si l'on était sûr que c'est le
plus grand des maux. Et comment ne serait-ce pas là
cette ignorance répréhensible qui consiste à croire
qu'on sait ce qu'on ne sait pas ? Or c'est peut-être par là,
juges, que je diffère encore de la plupart des hommes et,
si j'osais me dire plus sage qu'un autre en quelque chose,
c'est en ceci que, ne sachant pas suffisamment ce qui se
passe dans l'Hadès, je ne pense pas non plus le savoir.
Mais pour ce qui est de faire le mal et de désobéir à un
meilleur que soi, dieu ou homme, je sais que c'est mauvais
et honteux. Je crains donc les maux que je connais pour
tels ; mais les choses dont je ne sais si elles ne sont pas des
biens, jamais je ne les craindrai ni ne les fuirai.

   Ainsi, même si vous m'acquittez et n'écoutez pas Anytos, qui vous a déclaré qu'il ne fallait pas du tout me traduire devant vous ou que, si l'on m'y traduisait, vous
deviez absolument me condamner à mort, parce que, vous
disait-il, si j'échappais, vos fils pratiqueraient les ensei-
gnements de Socrate et se corrompraient tous entièrement ; même si, ayant égard à cette assertion, vous me
disiez : « Socrate, nous n'écouterons pas Anytos, et nous
t'acquittons, mais à une condition, c'est que tu ne passe-
ras plus ton temps à examiner ainsi les gens et à philosopher ; et, si l'on te prend à le faire, tu mourras ; » si donc
vous m'acquittiez, comme je le disais, à cette condition,
je vous répondrais : « Athéniens, je vous sais gré et je vous
aime, mais j'obéirai au dieu plutôt qu'à vous, et, tant que
j'aurai un souffle de vie, tant que j'en serai capable, ne
comptez pas que je cesse de philosopher, de vous exhorter et de vous faire la leçon. A chacun de ceux que je rencontrerai, je dirai ce que j'ai l'habitude de dire : « Comment toi, excellent homme, qui es Athénien et citoyen
de la plus grande cité du monde et de la plus renommée
pour sa sagesse et sa puissance, comment ne rougis-tu
pas de mettre tes soins à amasser le plus d'argent possible et à rechercher la réputation et les honneurs, tandis
que de ta raison, de la vérité, de ton âme qu'il faudrait per-
fectionner sans cesse, tu ne daignes en prendre aucun soin
ni souci ? » Et si quelqu'un de vous conteste et prétend
qu'il en prend soin, je ne le lâcherai pas et ne m'en irai pas
immédiatement, mais je l'interrogerai, je l'examinerai,
je le passerai au crible, et s'il me paraît qu'il ne possède pas

la vertu, quoi qu'il en dise, je lui ferai honte d'attacher si peu de prix à ce qui en a le plus et tant de valeur à ce qui en a le moins. Voilà ce que je ferai, quel que soit celui que je rencontrerai, jeune ou vieux, étranger ou citoyen ; mais je le ferai surtout avec les citoyens, puisque vous me touchez de plus près par le sang. Car c'est là ce qu'ordonne le dieu, entendez-le bien ; et je suis persuadé que personne encore n'a rendu à votre cité un plus grand service que moi en exécutant l'ordre du dieu.

Je n'ai pas en effet d'autre but, en allant par les rues, que de vous persuader, jeunes et vieux, qu'il ne faut pas donner le pas au corps et aux richesses et s'en occuper avec autant d'ardeur que du perfectionnement de l'âme. Je vous répète que ce ne sont pas les richesses qui donnent la vertu, mais que c'est de la vertu que proviennent les richesses et tout ce qui est avantageux, soit aux particuliers, soit à l'État. Si c'est en disant cela que je corromps les jeunes gens, il faut admettre que ce sont des maximes nuisibles. Mais si quelqu'un prétend que je dis autre chose que cela, il divague. Cela étant, je vous dirai, Athéniens : « Écoutez Anytos, ou ne l'écoutez pas, acquittez-moi ou ne m'acquittez pas ; mais tenez pour certain que je ne ferai jamais autre chose, quand je devrais mourir mille fois. »

XVIII. — Ne vous récriez pas, Athéniens ; tenez-vous à ce que je vous ai demandé, de ne pas protester, quoi que je dise, et de me prêter l'oreille ; car vous aurez, je crois, profit à m'écouter. J'ai à vous dire encore certaines choses qui pourraient vous faire jeter les hauts cris. Gardez-vous en bien, je vous prie.

Soyez persuadés que, si vous me faites mourir, sans égard à l'homme que je prétends être, ce n'est pas à moi que vous ferez le plus de mal, c'est à vous-mêmes. Car pour moi, ni Mélètos, ni Anytos ne sauraient me nuire, si peu que ce soit. Comment le pourraient-ils, s'il est, comme je le crois, impossible au méchant de nuire à l'homme de bien ? Ils pourront peut-être bien me faire condamner à la mort ou à l'exil ou à la perte de mes droits civiques, et ce sont là, sans doute, de grands malheurs aux yeux de mes accusateurs et de quelques autres peut-être ; mais moi, je ne pense pas ainsi : je considère que c'est un mal bien autrement terrible de faire ce qu'ils font, quand ils entreprennent de faire périr un innocent. Aussi, Athéniens, ce n'est pas, comme on pourrait le croire, pour l'amour de moi que je me défends à présent, il s'en faut de beaucoup; c'est pour l'amour de vous; car je crains qu'en me condamnant vous n'offensiez le dieu dans le présent qu'il vous a fait. Si en effet, vous me faites mourir, vous ne trouverez pas facilement un autre homme qui, comme moi, ait été littéralement, si ridicule que le mot puisse paraître, attaché à la ville par le dieu, comme un taon à un cheval grand et généreux, mais que sa grandeur même alourdit et qui a besoin d'être aiguillonné. C'est ainsi, je crois, que le dieu m'a attaché à la ville : je suis le taon qui, de tout le jour, ne cesse jamais de vous réveiller, de vous conseiller, de morigéner chacun de vous et que vous trouvez partout, posé près de vous. Un homme comme moi, juges, vous ne le retrouverez pas facilement et, si vous m'en croyez, vous m'épargnerez. Mais peut-être, impatientés comme des gens assoupis qu'on réveille, me donnerez-vous une tape, et, dociles aux excitations d'Anytos, me tuerez-vous sans plus de réflexion; après quoi vous pourrez passer le reste de votre vie à dormir, à moins que le dieu, prenant souci de vous, ne vous envoie quelqu'un pour me suppléer. En tout cas, que je sois justement ce que devait être un homme donné à la ville par le dieu, vous pouvez le reconnaître à ceci, c'est qu'il y a quelque chose de plus qu'humain dans le fait que j'ai négligé toutes mes affaires et que je les laisse en souffrance depuis tant d'années pour m'occuper sans cesse des vôtres, m'approchant de chacun de vous en particulier, comme un père ou un frère aîné, et le pressant de s'appliquer à la vertu. Si j'en retirais quelque profit, si je recevais un salaire pour mes exhortations, ma conduite s'expliquerait. Mais vous voyez bien vous-mêmes que mes accusateurs, qui accumulent contre moi tous les griefs avec tant d'impudence, n'ont pas pu pousser l'effronterie jusqu'à produire un témoin qui atteste que j'aie jamais exigé ou demandé quelque salaire. C'est que, pour attester que je dis vrai, je produis, moi, un témoin que je sais irrécusable, ma pauvreté.

XIX. — Mais peut-être paraît-il étrange que j'aille par les rues, donnant des conseils en particulier et me mêlant des affaires des autres, et qu'en public je n'ose pas paraître dans vos assemblées et donner des conseils à la république. Cela tient à ce que vous m'avez souvent et partout entendu dire, qu'un signe divin et démoniaque se manifeste à moi, ce dont Mélétos a fait par dérision un de ses chefs d'accusation. Cela a commencé dès mon enfance;

c'est une sorte de voix qui, lorsqu'elle se fait entendre,
me détourne toujours de ce que je me propose de faire,
mais ne m'y pousse jamais. C'est elle qui s'oppose à ce
que je m'occupe de politique, et je crois qu'il est fort
heureux pour moi qu'elle m'en détourne. Car sachez-le
bien, Athéniens, si, dès ma jeunesse, je m'étais mêlé des
affaires publiques, je serais mort dès ma jeunesse, et je
n'aurais rendu aucun service ni à vous, ni à moi-même.
Et ne vous fâchez pas contre moi si je vous dis la vérité :
il n'est personne qui puisse sauver sa vie, s'il s'oppose
bravement à vous ou à toute autre assemblée populaire,
et s'il veut empêcher qu'il ne se commette beaucoup
d'injustices et d'illégalités dans l'État. Il faut absolument,
quand on veut combattre réellement pour la justice et si
l'on veut vivre quelque temps, se confiner dans la vie
privée et ne pas aborder la vie publique.

XX. — Et je vais vous en donner de fortes preuves,
non point par des paroles, mais, ce qui a du poids auprès
de vous, par des faits. Ecoutez donc ce qui m'est arrivé.
Vous saurez par là que la crainte de la mort est impuissante
à me faire rien céder à qui que ce soit contrairement à la
justice et qu'en ne cédant pas je m'exposerais à une mort
certaine. Je vais vous parler avantageusement de moi
comme un plaideur, mais en toute sincérité. Je n'ai jamais,
Athéniens, exercé qu'une fonction publique : j'ai été séna-
teur. Or il s'est trouvé que la tribu Antiochide, la nôtre,
était en possession de la prytanie [14] au moment où vous
vouliez juger ensemble les dix généraux [15] qui n'avaient
pas relevé les morts après le combat naval. C'était
contraire à la loi, comme vous l'avez tous reconnu par la
suite. Je fus alors le seul parmi les prytanes qui m'opposai
à toute violation de la loi et qui votai contre vous. Les
orateurs étaient prêts à me dénoncer et à me citer en justice et vous les y excitiez par vos cris ; je n'en pensais
pas moins qu'il était de mon devoir de braver le danger
jusqu'au bout avec la loi et la justice plutôt que de me
mettre de votre côté et de céder à vos injustes résolutions,
par crainte de la prison ou de la mort.

Et cela se passait quand la cité était encore en démocratie. Mais quand vint l'oligarchie, les Trente, à leur tour,
m'ayant mandé, moi cinquième, à la tholos [16], me donnèrent l'ordre d'amener de Salamine Léon le Salaminien [17]
pour qu'on le mît à mort ; car ils donnèrent souvent à beaucoup d'autres des ordres de ce genre pour associer à leur

responsabilité le plus de citoyens possible. En cette circonstance, je fis encore voir, non par des paroles, mais par mes actes, que, si je puis le dire sans vous choquer, je me soucie de la mort comme de rien et que mon seul souci, c'est de ne rien faire d'injuste ni d'impie. Aussi ce pouvoir, si fort qu'il fût, ne m'impressionna pas au point de me faire commettre une injustice. Quand nous fûmes sortis de la tholos, les quatre autres partirent pour Salamine et en ramenèrent Léon, et moi je rentrai chez moi. Et j'aurais peut-être payé cela de ma vie, si ce gouvernement n'avait pas été renversé peu après. Ces faits vous seront attestés par un grand nombre de témoins.

XXI. — Croyez-vous maintenant que j'aurais vécu tant d'années si je m'étais mêlé des affaires publiques, et si, les traitant en honnête homme, j'avais pris la défense de la justice, en la mettant, comme on le doit, au-dessus de tout ? Il s'en faut de beaucoup, Athéniens, et aucun autre, non plus que moi, n'y serait arrivé. Pour moi, pendant toute ma vie, on reconnaîtra que je me suis montré tel dans les emplois publics que j'ai pu remplir, et tel aussi dans mes relations privées, n'ayant jamais rien concédé à personne contrairement à la justice, non pas même à aucun de ceux que mes calomniateurs disent être mes disciples. Je n'ai jamais, en effet, été le maître de personne. Mais si quelqu'un désire m'entendre quand je parle et remplis ma mission, jeune ou vieux, je n'ai jamais refusé ce droit à personne. Je ne suis pas homme à parler pour de l'argent et à me taire, si l'on ne m'en donne pas. Je me mets à la disposition des pauvres aussi bien que des riches, pour qu'ils m'interrogent, ou, s'ils le préfèrent, pour que je les questionne et qu'ils entendent ce que j'ai à dire. Si tel ou tel d'entre eux devient honnête ou malhonnête homme, il n'est pas juste de m'en rendre responsable, puisque je n'ai jamais promis ni donné aucune leçon à personne. Et si quelqu'un prétend avoir jamais appris ou entendu de moi en particulier quelque chose que tous les autres n'aient pas également entendu, sachez bien qu'il ne dit pas la vérité.

XXII. — Mais pourquoi donc certains auditeurs prennent-ils plaisir à rester de longues heures en ma compagnie ? Je vous l'ai expliqué, Athéniens, et je vous ai dit toute la vérité : c'est qu'ils ont du plaisir à m'entendre examiner ceux qui s'imaginent être sages et qui ne le sont pas,

et, en effet, cela n'est pas sans agrément. Et c'est, je vous
le répète, le dieu qui m'a prescrit cette tâche par des
oracles, par des songes et par tous les moyens dont un dieu
quelconque peut user pour assigner à un homme une
mission à remplir. Ce que je dis là, Athéniens, est vrai
et facile à vérifier. Car si vraiment je corromps les jeunes
gens et si j'en ai déjà corrompu auparavant, n'est-il pas
vrai que certains d'entre eux, ayant reconnu en vieillissant
que je leur ai donné de pernicieux conseils dans leur
jeunesse, devraient aujourd'hui se présenter ici pour
m'accuser et me faire punir, et, s'ils ne voulaient pas le
faire eux-mêmes, que certains membres de leur famille,
pères, frères ou autres parents, si j'avais fait du mal à
leurs proches, devraient s'en souvenir à présent et en tirer
vengeance. En tout cas, beaucoup d'entre eux sont ici :
je les vois. Voici d'abord Criton [18], qui est du même âge
et du même dème que moi, père de Critobule ici présent;
puis Lysanias de Sphettos, père d'Eschine [19], également
présent. Voici encore Antiphon de Képhisia, père d'Épigénès [20]; d'autres encore que voici, dont les frères ont
vécu en ma compagnie, Nicostratos, fils de Théozotidès
et frère de Théodote [21]; or Théodote est mort, il ne pourrait
donc l'influencer par ses prières; puis Paralos que vous
voyez, fils de Dèmodocos, dont le frère était Théagès [22],
puis Adimante [23], fils d'Ariston, dont Platon que voilà
est le frère, et Aïantodore, dont voici le frère Apollodore [24]. Et je pourrais vous en nommer beaucoup d'autres,
dont Mélètos aurait dû citer au moins un comme témoin
dans son accusation. S'il n'y a pas pensé, qu'il le cite à
présent, je l'y autorise, et, s'il peut produire un témoignage de ce genre, qu'il le dise. Mais tout au contraire,
Athéniens, vous les trouverez tous prêts à m'assister, moi
qui corromps leurs proches, moi qui leur fais du mal, au
dire de Mélètos et d'Anytos. Il est vrai que ceux qui sont
corrompus auraient peut-être quelque raison de me
défendre; mais leurs parents, que je n'ai point séduits, qui
sont déjà avancés en âge, quel motif ont-ils de m'assister,
sinon la loyauté et la justice, parce qu'ils ont conscience
que Mélètos ment et que moi, je dis la vérité ?

XXIII. — En voilà assez, juges : les arguments que je
puis donner pour ma défense se réduisent à peu près à
ceux-là, ou peut-être à quelques autres du même genre.
Mais peut-être se trouvera-t-il quelqu'un parmi vous qui
s'indignera, en se souvenant que lui-même, ayant à sou-

tenir un procès de moindre conséquence que le mien,
a prié et supplié les juges avec force larmes, qu'il a fait
monter au tribunal ses petits enfants, afin de les attendrir
le plus possible, et avec ses enfants, beaucoup de parents
et d'amis, tandis que moi, je ne veux naturellement rien
faire de tout cela, alors même que je puis me croire en
butte au suprême danger. Il se peut qu'en pensant à cela,
il me tienne rigueur et qu'irrité de mon procédé, il
dépose son suffrage avec colère. Si quelqu'un de vous est
dans ces sentiments, ce que je ne crois pas pour ma part,
mais enfin s'il les a, je crois que je lui ferai une réponse
raisonnable en lui disant : « Moi aussi, excellent homme,
j'ai des parents ; car, comme dit Homère, je ne suis pas
né d'un chêne ni d'un rocher [25], mais d'êtres humains.
Aussi ai-je des parents et des fils, Athéniens, au nombre de
trois, dont l'un est déjà dans l'adolescence [26], et les deux
autres tout petits. » Cependant je ne les ai pas amenés ici
pour vous engager à m'absoudre. Pourquoi donc n'en
veux-je rien faire ? Ce n'est point par bravade, Athéniens, ni par mépris pour vous. Que j'envisage la mort
avec assurance ou non, c'est une autre question. Mais pour
mon honneur, pour le vôtre et celui de la cité tout entière,
il ne me semble pas convenable de recourir à aucun de ces
moyens, à mon âge et avec ma réputation, vraie ou
fausse. En tout cas, c'est une opinion reçue que Socrate
se distingue en quelque chose de la plupart des hommes.
Si donc ceux d'entre vous qui passent pour être supé-
rieurs en sagesse, en courage ou en tout autre genre de
mérite devaient se conduire ainsi, ce serait une honte.
Et pourtant j'ai vu souvent des gens de cette sorte, qui
passaient pour des hommes de valeur, faire devant les
juges des bassesses surprenantes, comme s'ils regardaient
comme un terrible malheur que vous les condamniez à
mourir, et comme s'ils devaient être immortels au cas
où vous ne les feriez pas périr. Or, j'estime, moi, qu'ils
déshonorent la ville : ils feraient croire aux étrangers
que ceux des Athéniens qui se distinguent par leur mérite
et que les citoyens choisissent préférablement à eux-
mêmes pour les élever aux magistratures et aux autres
honneurs, n'ont pas plus de courage que des femmes.
Ce sont là, Athéniens, des choses que nous, qui passons
pour avoir quelque mérite, nous ne devons pas faire, et
que vous, si nous les faisons, vous ne devez pas permettre.
Vous devez au contraire faire voir que vous êtes disposés
à condamner ceux qui jouent devant vous ces scènes

pitoyables et couvrent la ville de ridicule plutôt que ceux qui attendent tranquillement leur arrêt.

XXIV. — Indépendamment de l'honneur, Athéniens, il ne me paraît pas non plus qu'il soit juste de prier son juge et de se faire absoudre par ses supplications; il faut l'éclairer et le convaincre. Car le juge ne siège pas pour faire de la justice une faveur, mais pour décider ce qui est juste. Il a juré, non pas de favoriser qui bon lui semble, mais de juger suivant les lois. Nous ne devons donc pas plus vous accoutumer au parjure que vous ne devez vous y accoutumer vous-mêmes, car nous offenserions les dieux les uns et les autres. N'attendez donc pas de moi, Athéniens, que je recoure devant vous à des pratiques que je ne juge ni honnêtes, ni justes, ni pieuses, surtout, par Zeus, lorsque je suis accusé d'impiété par Mélètos ici présent. Car il est clair que, si je vous fléchissais et vous forçais par mes prières à manquer à votre serment, je vous enseignerais à croire qu'il n'y a pas de dieux, et en me défendant ainsi, je m'accuserais tout bonnement moi-même de ne pas croire à leur existence. Mais il s'en faut de beaucoup qu'il en soit ainsi. J'y crois en effet, Athéniens, autant que pas un de mes accusateurs, et je m'en remets à vous et au dieu de décider ce qui doit être le mieux et pour vous et pour moi.

DEUXIÈME PARTIE

> *Après le verdict de condamnation, Socrate, invité à fixer sa peine, demande à être nourri au prytanée.*

XXV. — Si je ne m'indigne pas, Athéniens, de cet arrêt que vous venez de prononcer contre moi [27], c'est que j'en ai plusieurs raisons et parce que je n'étais pas sans m'attendre à ce qui m'arrive. Ce qui me surprend bien plus, c'est le nombre de voix pour et contre. Je ne croyais pas que l'écart serait si faible; je m'attendais à être condamné par une majorité beaucoup plus considérable; car un déplacement de trente voix [28], si je compte bien, eût suffi pour me faire acquitter. Dans ces conditions, je crois pouvoir dire que j'ai échappé à Mélètos, et non seulement je lui ai échappé, mais il saute aux yeux que, si Anytos et Lycon n'étaient pas montés à la barre pour m'accuser, il aurait même dû verser mille drachmes, parce qu'il n'aurait pas obtenu le cinquième des suffrages.

XXVI. — Quoi qu'il en soit, cet homme demande ma mort. Soit. Mais moi, de mon côté, que vais-je vous proposer ? Évidemment ce que je mérite. Qu'est-ce donc ? Quelle peine ou quelle amende mérité-je parce qu'au lieu de mener une vie tranquille, j'ai négligé ce que la plupart des hommes ont à cœur, fortune, intérêts domestiques, commandements d'armée, carrière politique, charges de toute sorte, liaisons et factions politiques, me croyant trop honnête pour sauver ma vie si j'entrais dans cette voie; parce que je ne me suis engagé dans aucune profession où je n'aurais été d'aucune utilité ni pour vous, ni pour moi, et parce que je n'ai voulu d'autre occupation que de rendre à chacun de vous en particulier ce que je déclare être le plus grand des services, en essayant de lui persuader de ne s'occuper d'aucune de ses affaires avant de s'occuper de lui-même et de son perfectionnement moral et intellectuel, de ne point s'occuper des affaires de la cité avant de s'occuper de la cité et de suivre les mêmes principes en tout le reste ? Qu'est-ce que je mérite donc pour m'être ainsi conduit ? Une récompense, Athéniens, s'il faut vraiment me taxer d'après ce que je mérite, et une récompense qui puisse me convenir. Or qu'est-ce qui peut convenir à un bienfaiteur pauvre qui a besoin de loisir pour vous exhorter ? Il n'y a rien, Athéniens, qui convienne mieux à un tel homme que d'être nourri au prytanée. Il le mérite bien plus que tel d'entre vous qui a été vainqueur à Olympie avec un cheval ou un attelage à deux ou à quatre. Celui-ci ne vous rend heureux qu'en apparence, moi, véritablement. Il n'a pas besoin qu'on le nourrisse; moi, j'en ai besoin. Si donc il faut que je me taxe à ce que je mérite en toute justice, c'est à cela que je me taxe : à être nourri au prytanée.

XXVII. — Peut-être vous figurez-vous qu'en vous tenant ici à peu près le même langage qu'à propos de la pitié et des supplications, j'ai l'intention de vous braver. Non, Athéniens, je n'ai aucune intention de ce genre; voici ce qui en est. Je suis convaincu, moi, que je ne fais de mal à personne volontairement, mais vous vous refusez à m'en croire. Nous avons eu trop peu de temps pour nous expliquer. Je crois en effet que, s'il était de règle, chez vous, comme chez d'autres, de ne point juger un procès capital en un seul jour, mais d'y en consacrer plusieurs, je vous aurais convaincus; mais il n'est pas facile en si peu de temps de dissiper de grosses calomnies. Certain donc que je ne fais de tort à personne, je suis bien éloigné de vouloir m'en faire à moi-même, de déclarer à mon dam que je mérite une punition et de proposer une peine contre moi-même. Qu'ai-je à craindre ? Est-ce de souffrir ce que Mélètos propose contre moi, quand j'affirme que je ne sais pas si c'est un bien ou un mal ? Irai-je, au lieu de cela, choisir des choses que je sais être des maux et me condamner à l'une d'elles ? Choisirai-je la réclusion ? Mais pourquoi devrais-je vivre en prison, esclave des geôliers successivement préposés à ma garde, des Onze ? Me condamnerai-je à l'amende et à la prison jusqu'à ce que j'aie fini de payer ? Cela reviendrait précisément à la réclusion dont je viens de parler; car je n'ai pas d'argent pour m'acquitter. Me condamnerai-je donc à l'exil; peut-être est-ce la peine que vous proposeriez. Mais il faudrait vraiment que je fusse bien attaché à la vie pour pousser l'aveuglement jusqu'à ne pouvoir me rendre compte que si vous, qui êtes mes concitoyens, n'avez pu supporter mes entretiens et mes propos, et les avez trouvés si insupportables et si odieux que vous cherchez aujourd'hui à vous en délivrer, je ne puis m'attendre à ce que des étrangers les supportent facilement. Tant s'en faut, Athéniens. Dans ces conditions, ce serait une belle vie pour moi de quitter mon pays, vieux comme je suis, de passer de ville en ville et d'être chassé de partout! Car je suis sûr que, partout où j'irai, les jeunes gens viendront m'écouter comme ici. Si je les repousse, c'est eux qui me chasseront, en y engageant leurs concitoyens plus âgés, et, si je ne les repousse pas, ce seront leurs pères et leurs proches qui me banniront à cause d'eux.

XXVIII. — On me dira peut-être : « Quoi! Socrate, si tu gardes le silence et te tiens coi, ne pourras-tu pas vivre en exil ? » Voilà justement ce qu'il y a de plus difficile à faire entendre à certains d'entre vous. Car si je vous dis que ce serait désobéir au dieu et que, pour cette raison, il m'est impossible de me tenir tranquille, vous ne me croirez pas, vous penserez que je parle ironiquement et, si je vous dis d'autre part que c'est justement le plus grand des biens pour un homme que de s'entretenir tous les jours de la vertu et des autres sujets sur lesquels vous m'entendez discourir, en m'examinant moi-même et les autres, et si j'ajoute qu'une vie sans examen ne vaut pas la peine d'être vécue, vous me croirez encore moins. C'est pourtant comme je vous le dis, Athéniens; mais il n'est pas facile de vous en convaincre.

Ajoutez à ces raisons que je n'ai pas l'habitude de me juger digne d'aucune peine. Si toutefois j'avais de l'argent, j'aurais fixé la somme que je devrais payer; car ce n'aurait pas été un dommage pour moi. Mais je n'en ai pas, à moins que vous ne vouliez me taxer à la somme que je pourrais payer. Peut-être bien pourrais-je vous payer une mine d'argent [29] : c'est donc à cette somme que je me taxe. Mais Platon que voici, Athéniens, ainsi que Criton, Critobule et Apollodore me pressent de vous proposer trente mines, dont ils se portent garants. Je me taxe donc à cette somme. Pour la garantir vous pouvez compter sur eux.

TROISIÈME PARTIE

Allocution de Socrate à ses juges.

XXIX. — Faute d'un peu de patience, voyez, Athéniens, ce qu'on va dire de vous : ceux qui cherchent à décrier notre ville vont vous reprocher d'avoir fait mourir Socrate, un sage; car ils diront, pour vous faire honte, que j'étais un sage, bien que je ne le sois pas. Si vous aviez attendu quelque temps, la chose serait venue d'elle-même; car vous voyez mon âge : je suis déjà avancé dans la vie et près de la mort. Ce que je dis là ne s'adresse pas à vous tous, mais à ceux qui m'ont condamné à mort.

A ceux-là j'ai encore quelque chose à dire. Peut-être pensez-vous, Athéniens, que j'ai été condamné faute de discours, j'entends de ces discours par lesquels je vous aurais persuadés, si j'avais cru devoir tout faire et tout dire pour échapper à une condamnation. Non, tant s'en faut. Ce n'est pas faute de discours que j'ai été condamné, mais faute d'audace et d'impudence et parce que je n'ai pas voulu vous faire entendre ce qui vous aurait été le plus agréable, Socrate se lamentant, gémissant, faisant et disant une foule de choses que j'estime indignes de moi, choses que vous êtes habitués à entendre des autres accusés. Mais, ni tout à l'heure je n'ai cru devoir par crainte du

danger rien faire qui fût indigne d'un homme libre, ni à
présent je ne me repens de m'être ainsi défendu. J'aime
beaucoup mieux mourir après m'être défendu comme je
l'ai fait que de vivre grâce à ces bassesses. Car ni dans
les tribunaux, ni à la guerre, personne, ni moi, ni un autre,
n'a le droit de chercher à se dérober à la mort par tous les
moyens. Souvent, dans les combats, on voit bien qu'on
pourrait échapper à la mort en jetant ses armes et en
demandant quartier à ceux qui vous poursuivent. De
même, dans toute espèce de dangers, on trouve mille
autres expédients pour échapper à la mort, si l'on est
décidé à tout faire et à tout dire. Seulement ce n'est peut-
être pas cela qui est difficile, Athéniens, d'éviter la
mort : il l'est beaucoup plus d'éviter le mal; car il court
plus vite que la mort. Dans le cas présent, c'est moi, qui
suis lent et vieux, qui ai été atteint par le plus lent des
deux, tandis que mes accusateurs, qui sont forts et agiles,
l'ont été par le plus rapide, le mal. Et maintenant moi,
je vais sortir d'ici condamné à mort par vous, et eux
condamnés par la vérité comme méchants et criminels,
et moi, je m'en tiens à ma peine, et eux à la leur. Peut-
être fallait-il qu'il en fût ainsi et je crois que les choses
sont ce qu'elles doivent être.

XXX. — Après cela, je désire vous faire une prédic-
tion, à vous qui m'avez condamné; car je suis à présent
au moment où les hommes lisent le mieux dans l'avenir,
au moment de quitter la vie. Je vous prédis donc, à vous,
juges, qui me faites mourir, que vous aurez à subir,
aussitôt après ma mort, un châtiment beaucoup plus
pénible, par Zeus, que celui que vous m'infligez en me
tuant. Vous venez de me condamner dans l'espoir que
vous serez quittes de rendre compte de votre vie; or,
c'est tout le contraire qui vous arrivera, je vous l'affirme.
Vous verrez croître le nombre de ces enquêteurs, que
j'ai retenus jusqu'à présent, sans que vous vous en aper-
ceviez. Car si vous croyez qu'en tuant les gens, vous
empêcherez qu'on vous reproche de vivre mal, vous êtes
dans l'erreur. Cette façon de se débarrasser des censeurs
n'est ni très efficace, ni honorable; la plus belle et la plus
facile, c'est, au lieu de fermer la bouche aux autres, de
travailler à se rendre aussi parfait que possible. Voilà
les prédictions que je voulais vous faire, à vous qui
m'avez condamné, sur quoi je prends congé de vous.

XXXI. — Mais pour vous qui m'avez acquitté, j'aimerais causer avec vous de ce qui vient de se passer, pendant que les magistrats sont occupés et qu'on ne m'emmène pas encore où je dois mourir. Attendez donc, mes amis, jusqu'à ce moment; car rien ne nous empêche de causer ensemble, tant que cela est possible. Je voudrais vous montrer comme à des amis comment j'interprète ce qui m'est arrivé aujourd'hui. Et en effet, juges [30], car vous méritez, vous, ce titre de juges, il m'est arrivé quelque chose d'extraordinaire. Dans tout le cours de ma vie, la voix divine qui m'est familière n'a jamais cessé de se faire entendre, même à propos d'actes de mince importance, pour m'arrêter, si j'allais faire quelque chose de mal. Or aujourd'hui il m'est arrivé, comme vous le voyez vous-mêmes, une chose que l'on pourrait regarder et qu'on regarde en effet comme le dernier des maux. Or, ni ce matin, quand je sortais de chez moi, le signe du dieu ne m'a retenu, ni quand je suis monté ici au tribunal, ni à aucun endroit de mon discours, quoi que je voulusse dire. Et cependant dans beaucoup d'autres circonstances il m'a arrêté au beau milieu de mon propos. Aujourd'hui, au contraire, il n'est jamais intervenu au cours même du débat pour s'opposer à aucun de mes actes ni à aucune de mes paroles. À quel motif dois-je attribuer son abstention ? Je vais vous le dire. C'est que ce qui m'est arrivé est sans doute un bien et qu'il n'est pas possible que nous jugions sainement, quand nous pensons que mourir est un mal; et j'en vois ici une preuve décisive : c'est que le signe accoutumé n'aurait pas manqué de m'arrêter, si ce que j'allais faire n'avait pas été bon.

XXXII. — Voici d'autres raisons d'espérer fermement que la mort est un bien. De deux choses, l'une : ou bien celui qui est mort est réduit au néant et n'a plus aucune conscience de rien, ou bien, conformément à ce qui se dit, la mort est un changement, une transmigration de l'âme du lieu où nous sommes dans un autre lieu. Si la mort est l'extinction de tout sentiment et ressemble à un de ces sommeils où l'on ne voit rien, même en songe, c'est un merveilleux gain que de mourir. Si en effet l'on devait choisir une de ces nuits où l'on a dormi sans même avoir un songe, pour la comparer aux autres nuits et aux autres jours de sa vie, et s'il fallait après examen dire combien l'on a vécu de jours et de nuits meilleurs et plus agréables que cette nuit-là, j'imagine que non seulement les simples particuliers, mais le grand Roi lui-même trouverait qu'ils sont faciles à compter en comparaison des autres jours et des autres nuits. Si donc la mort est quelque chose de semblable, je soutiens, moi, que c'est un gain, puisque alors toute la suite des temps ne paraît plus ainsi qu'une seule nuit.

D'un autre côté, si la mort est comme un passage d'ici-bas dans un autre lieu, et s'il est vrai, comme on le dit, que tous les morts y sont réunis, peut-on, juges, imaginer un plus grand bien ? Car enfin, si en arrivant chez Hadès, débarrassé de ces soi-disant juges, on doit y trouver les juges véritables, ceux qui, dit-on, rendent là-bas la justice, Minos, Rhadamante, Éaque, Triptolème [31] et tous ceux des demi-dieux qui ont été justes pendant leur vie, est-ce que le voyage n'en vaudrait pas la peine ? Si, d'autre part, on fait société avec Orphée, Musée [32], Hésiode et Homère, à quel prix n'achèteriez-vous pas ce bonheur ? Quant à moi, je consens à mourir plusieurs fois, si ces récits sont vrais. Oh! pour moi surtout, quel merveilleux passe-temps que de causer là-bas avec Palamède [33], Ajax [34], fils de Télamon, et tous les héros des anciens temps qui sont morts victimes d'un jugement injuste! Je trouverais, je pense, un certain agrément à comparer mon sort au leur. Mais mon plus grand plaisir serait de passer mes jours à examiner et à questionner ceux de là-bas, comme je faisais ceux d'ici, pour voir ceux d'entre eux qui sont sages et ceux qui croient l'être, mais ne le sont pas. Combien ne donnerait-on pas, juges, pour examiner celui qui mena contre Troie la grande armée [35], ou Ulysse ou Sisyphe [36] ou tant d'autres, hommes ou femmes, que l'on pourrait nommer ? Causer avec eux, vivre avec eux, les examiner, serait un plaisir indicible. En tout cas, chez Hadès, on est sûr de n'être pas condamné à mort pour cela, et non seulement on y est de toutes manières plus heureux qu'ici, mais encore on y est désormais immortel, du moins si ce qu'on dit est vrai.

XXXIII. — Vous aussi, juges, vous devez avoir bon espoir en face de la mort et vous mettre dans l'esprit qu'il y a une chose certaine, c'est qu'il n'y a pas de mal possible pour l'homme de bien, ni pendant sa vie, ni après sa mort, et que les dieux ne sont pas indifférents à son sort. Le mien non plus n'est pas le fait du hasard, et je vois clairement qu'il valait mieux pour moi mourir à présent et être délivré de toute peine. De là vient que le signe ne m'a retenu à aucun moment et que je n'en veux pas beaucoup à ceux qui m'ont condamné ni à mes accusateurs. Il est vrai qu'en me condamnant et en m'accusant, ils n'avaient pas la même pensée que moi; ils croyaient bien me nuire et en cela ils méritent d'être blâmés.

J'ai cependant une chose à leur demander. Quand mes fils auront grandi, Athéniens, punissez-les en les tourmentant comme je vous tourmentais, si vous les voyez rechercher les richesses ou toute autre chose avant la vertu. Et s'ils se croient quelque chose, quoiqu'ils ne soient rien, faites-leur honte, comme je vous faisais honte, de négliger leur devoir et de se croire quelque chose quand ils sont sans mérite. Si vous faites cela, vous nous aurez justement traités, moi et mes fils.

Mais voici l'heure de nous en aller, moi pour mourir, vous pour vivre. Qui de nous a le meilleur partage, nul ne le sait, excepté le dieu.

NOTICE
SUR LE CRITON

Xénophon rapporte dans son *Apologie de Socrate* (ch. 23) que Socrate avait refusé d'écouter ses amis qui voulaient le faire évader de sa prison et que même il leur avait demandé ironiquement s'ils connaissaient en dehors d'Athènes quelque endroit inaccessible à la mort. Ce refus de s'évader avait dû frapper le public et susciter des commentaires. Quelle en pouvait être la raison ? Socrate était-il las de vivre et craignait-il les infirmités de la vieillesse, comme l'a soutenu Xénophon d'après Hermogène ? Ou est-ce l'orgueil qui lui avait fait prendre cette attitude extraordinaire ? Ou voulait-il donner une dernière leçon aux hommes en leur montrant à mépriser la mort ? Platon, qui avait écrit l'*Apologie* pour faire connaître le vrai Socrate, ne pouvait laisser défigurer la noble image de son maître vénéré. Il entreprit, dans le *Criton*, d'expliquer au public les vrais motifs du refus de Socrate. S'il n'avait pas voulu quitter sa prison, c'était pour rester fidèle aux principes qu'il avait professés durant toute sa vie.

Criton n'avait certainement pas été le seul * à solliciter Socrate de s'enfuir, et si Platon a exclu les autres, c'est sans doute dans un but de simplification, et, s'il a fait de Criton le porte-parole de tous, c'est que Criton était le mieux désigné pour fléchir l'obstination de Socrate. Il était du même dème et du même âge que lui et lui était très attaché. Il était riche et avait été l'un de ceux qui s'étaient offerts à payer les trente mines auxquelles Socrate s'était finalement taxé. Il avait même offert sa caution, pour que Socrate condamné à mort fût laissé en liberté

---

* *D'après Diogène Laërce (l. II, Eschine), « Idoménée (livre de la Prison) dit que c'est Eschine, et non pas Criton, qui conseilla à Socrate de s'enfuir. Si Platon attribue le fait à Criton, c'est qu'Eschine était plutôt l'ami d'Aristippe ». Le dire d'Idoménée ne mérite aucune créance.*

jusqu'au jour de l'exécution (*Phédon*, 115 d), caution qui
avait été refusée. « Il était si attentif à le servir, nous dit
Diogène Laërce (livre II, *Criton*), qu'il ne le laissa jamais
manquer de rien. Ses fils furent aussi auditeurs de
Socrate : Critobule, Hermogène, Épigène, Ctèsippe. » Il
aurait même, si l'on en croit le même Diogène, écrit dix-
sept dialogues rassemblés en un seul livre.

Pendant tout le mois qui s'écoula entre la condamnation de Socrate et le retour du vaisseau sacré envoyé
à Dèlos, ses amis venaient causer avec lui dans sa prison,
mais assez tard ; car le geôlier n'ouvrait pas de bonne
heure. Le jour où se place notre dialogue, Criton a
devancé l'aurore et s'est fait ouvrir par le geôlier, qu'il
a gagné par quelque gratification. Socrate était encore
endormi. A son réveil, il s'étonne de voir Criton près de
son lit : « Qu'est-ce qui t'amène de si bonne heure ? »
demande-t-il. Criton répond que s'il est venu si tôt, c'est
pour lui apporter une fâcheuse nouvelle, l'approche du
vaisseau au retour duquel Socrate doit mourir, et pour
se concerter avec lui, afin de le faire évader la nuit suivante. « Que pensera-t-on de nous, tes amis, dit-il, si tu
meurs en prison ? On dira que nous avons préféré te
laisser mourir plutôt que de sacrifier notre argent pour
te tirer d'ici. D'ailleurs la somme qu'on demande n'est
pas considérable et plusieurs autres de tes amis sont prêts
à en faire la dépense. Ne crains pas de t'exiler : partout
où tu iras, tu seras bien accueilli. Songe aussi à tes
enfants, que tu n'as pas le droit d'abandonner. Enfin les
moments sont précieux : décide-toi. — Examinons si je
le dois, répond Socrate. Tu sais que je n'obéis jamais qu'à
la raison. Or que dit-elle ? Qu'entre les opinions des
hommes, il ne faut avoir égard qu'à celles des hommes
sensés, et non à celles de la foule. Cela est surtout nécessaire quand il s'agit des choses les plus importantes, du
juste et de l'injuste, du bien et du mal. Or la raison
démontre qu'il ne faut jamais être injuste ni faire le mal.
C'est de ce principe que notre discussion doit partir,
pour décider si je peux sortir d'ici sans l'assentiment des
Athéniens. Supposons, Criton, que les lois se présentent
devant nous et me disent : « C'est nous qui avons présidé
à ta naissance et à ton éducation. Tu es donc notre enfant
et notre esclave. Tu dois donc nous obéir, comme à tes
père et mère, avec plus de soumission encore, parce
que la patrie et ses lois sont plus vénérables et plus saintes
que les parents. Malgré ce que tu nous dois, nous t'avons

laissé libre, quand tu es devenu majeur, de nous répudier, si nous te déplaisions, et de t'en aller vivre ailleurs en emportant tes biens. Tu ne l'as pas fait. En demeurant, tu as contracté par là même un engagement sacré envers nous. Personne même n'a jamais été attaché plus que toi à Athènes et à ses lois. Tu serais donc plus coupable que tout autre en violant les engagements de toute ta vie, sans compter que tu t'exposerais au ridicule et au mépris, partout où tu irais. Quant à tes enfants, soit que tu partes pour l'exil, soit que tu partes pour l'autre monde, tes amis en prendront soin. Renonce donc à te dérober à notre autorité, si tu veux que nos sœurs, les lois de l'Hadès, te fassent bon accueil. » Criton n'ayant rien à répondre, Socrate conclut en disant : « Suivons la voie que le dieu nous indique. »

Le naturel exquis des détails par lesquels il débute pourrait faire croire que les choses se sont passées comme Platon les décrit, si nous ne savions que c'est un des talents de Platon d'introduire ses dialogues avec l'art d'un grand poète dramatique, témoin le commencement du *Protagoras*, du *Phèdre*, de la *République*. Il est donc possible, il est même probable que les détails de l'introduction n'ont rien d'historique et sont de l'invention de Platon. C'est son style aussi que l'on reconnaît d'un bout à l'autre de l'ouvrage, et il est possible encore qu'il ait ajouté quelque chose de son cru à ce qui fut réellement dit dans les entretiens où les amis de Socrate tentèrent de le décider à s'évader. Mais on ne peut mettre en doute que le fond ne soit vrai et que nous n'ayons ici l'essentiel des réponses et des arguments de Socrate. Les raisons qu'il donne de sa répugnance à l'exil ne sont pas présentés de la même façon que dans l'*Apologie ;* mais ce sont au fond les mêmes, c'est qu'il ne pourra remplir sa mission. L'admirable prosopopée des lois est peut-être de l'invention de Socrate; en tout cas elle reflète admirablement les scrupules de cette haute conscience que l'injustice effraye plus que la mort. Ce respect des lois est comme un dernier trait ajouté à la peinture du caractère de Socrate que Platon avait tracé dans l'*Apologie*, et cette mort si courageusement acceptée est le digne couronnement de cette carrière consacrée tout entière à la philosophie et à la vertu. Aussi, tout bref qu'il est, le dialogue du *Criton* est, au point de vue moral comme au point de vue littéraire, un des plus beaux et des plus émouvants de Platon.

CRITON

[ou **Du Devoir**; *genre éthique*]

PERSONNAGES DU DIALOGUE
SOCRATE, CRITON

SOCRATE

I. — Que viens-tu faire ici à cette heure, Criton ?
N'est-ce pas encore bien matin ?

CRITON

Si.

SOCRATE

Quelle heure est-il au juste ?

CRITON

Le jour va paraître.

SOCRATE

Je m'étonne que le gardien de la prison ait consenti à
t'ouvrir.

CRITON

C'est qu'il me connaît bien, Socrate, pour m'avoir vu
souvent ici. D'ailleurs il m'a quelque obligation.

SOCRATE

Viens-tu d'arriver ou es-tu là depuis longtemps ?

CRITON

Depuis assez longtemps.

SOCRATE

Alors pourquoi ne m'as-tu pas éveillé tout de suite,
au lieu de rester assis près de moi sans rien dire ?

CRITON

Par Zeus, Socrate, je m'en suis bien gardé; car moi non plus je n'aurais pas voulu être si tôt éveillé et livré au chagrin. Mais, vraiment, je t'admire, toi, depuis un bon moment, en voyant comme tu dors bien, et c'est à dessein que je ne t'éveillais pas, pour te laisser passer ton temps le plus agréablement possible. Auparavant déjà, dans tout le cours de ta vie, j'ai apprécié souvent ton égalité d'humeur, mais jamais autant que dans le malheur présent, en voyant la facilité et la douceur avec lesquelles tu le supportes.

SOCRATE

C'est qu'il me siérait mal, à mon âge, Criton, de me révolter, parce qu'il me faut mourir.

CRITON

On en voit d'autres, Socrate, aussi âgés que toi, qui, en butte à de tels malheurs, ne laissent pas, malgré leur âge, de se révolter contre leur sort.

SOCRATE

C'est vrai. Mais enfin pourquoi es-tu venu de si bonne heure ?

CRITON

Pour t'apporter, Socrate, une nouvelle fâcheuse et accablante, non pas pour toi, je le vois, mais pour moi et pour tous tes amis, la plus fâcheuse et la plus accablante, je crois, que je puisse jamais supporter.

SOCRATE

Quelle est cette nouvelle ? Est-ce que le vaisseau au retour duquel je dois mourir est arrivé de Dèlos ?

CRITON

Non, il n'est pas arrivé, mais je crois qu'il arrivera aujourd'hui, d'après ce que rapportent des gens qui sont venus de Sounion [37] et qui l'ont laissé là. Il est clair d'après leur rapport qu'il arrivera aujourd'hui et ainsi ce sera demain, Socrate, qu'il te faudra quitter la vie.

SOCRATE

II. — Eh bien, Criton, à la bonne fortune ! Si telle est la volonté des dieux, qu'il en soit ainsi. Cependant je ne crois pas qu'il arrive aujourd'hui.

CRITON

Sur quoi fondes-tu cette conjecture ?

SOCRATE

Je vais te le dire. C'est que je dois mourir le lendemain du jour où le vaisseau sera revenu.

CRITON

C'est en effet ce que disent ceux de qui cela dépend [38].

SOCRATE

C'est pourquoi je ne pense pas qu'il arrive en ce jour qui vient, mais demain. Je le conjecture d'un songe que j'ai eu tout à l'heure, cette nuit, et il se peut que tu aies bien fait de ne pas m'éveiller.

CRITON

Quel était donc ce songe ?

SOCRATE

J'ai cru voir venir à moi une femme belle et majestueuse, vêtue de blanc, qui m'appelait et me disait : « Socrate, tu arriveras dans trois jours dans la fertile Phtie [39]. »

CRITON

Il est étrange, ton songe, Socrate.

SOCRATE

Il est clair, au contraire, Criton, si je ne me trompe.

CRITON

III. — Il ne l'est que trop, je pense. Mais une dernière fois, merveilleux Socrate, écoute-moi et sauve ta vie. Car pour moi, ta mort entraînera plus d'un malheur : outre que je serai privé d'un ami comme il est sûr que je n'en retrouverai jamais, beaucoup de gens qui nous connaissent mal, toi et moi, croiront que j'aurais pu te sauver, si j'avais consenti à payer pour cela, mais que je ne m'en suis pas soucié. Or, peut-il y avoir de réputation plus honteuse que de passer pour être plus attaché à l'argent qu'à ses amis ? La plupart des gens ne croiront pas que c'est toi qui as refusé de sortir d'ici, en dépit de nos instances.

SOCRATE

Mais pourquoi, bienheureux Criton, nous mettrions-
nous tant en peine de l'opinion du vulgaire ? Les gens
les plus sensés, dont le jugement doit nous préoccuper
davantage, ne douteront pas que les choses ne se
soient passées comme elles se seront passées réellement.

CRITON

Tu vois pourtant bien, Socrate, qu'il faut s'inquiéter
de l'opinion du grand nombre. Ce qui arrive à présent
fait assez voir que le grand nombre est capable non
seulement de faire du mal, mais je puis dire le plus grand
mal, quand il est prévenu par la calomnie.

SOCRATE

Plût aux dieux, Criton, que ces gens-là fussent capables
de faire les plus grands maux, afin qu'ils le fussent aussi
de faire les plus grands biens ! Mais en réalité ils ne
peuvent ni l'un ni l'autre, car ils ne sont pas capables
de rendre un homme sage ni insensé ; et ce qu'ils font
est l'effet du hasard.

CRITON

IV. — Admettons qu'il en soit ainsi ; mais réponds
à ma question, Socrate. Ne serait-ce pas l'intérêt que
tu me portes, à moi et à tes autres amis, qui te retient ?
Crains-tu que, si tu t'échappes d'ici, les sycophantes
ne nous causent des ennuis pour t'avoir fait évader,
et que nous ne soyons forcés de sacrifier toute notre
fortune ou beaucoup d'argent et de subir encore quelque
autre peine ? Si tu as quelque crainte de ce genre, rejette-
la ; car c'est notre devoir à nous de courir, pour te sauver,
ce risque-là, et un plus grave encore, s'il est nécessaire.
Allons, écoute-moi et ne me dis pas non.

SOCRATE

Oui, Criton, c'est votre intérêt qui m'arrête, et d'autres
raisons encore.

CRITON

Rassure-toi donc là-dessus ; car on ne demande pas
beaucoup d'argent pour te sauver et te tirer d'ici. Et
puis, ne vois-tu pas qu'on peut acheter à bon marché ces
sycophantes et qu'il ne faudrait pas beaucoup d'argent
pour leur fermer la bouche ? Tu peux disposer de ma fortune : elle suffira, j'espère. D'ailleurs, si, par intérêt pour

moi, tu ne crois pas devoir dépenser mon argent, il y a
ici des étrangers qui sont prêts à dépenser le leur. L'un
d'eux a justement apporté pour cela une somme suffisante : c'est Simmias de Thèbes [40]. Cébès aussi se met
à ta disposition, et beaucoup d'autres. Donc, je te le
répète, ne va pas, pour des craintes de ce genre, renoncer
à te sauver et ne crois pas, comme tu le disais dans le
tribunal, que ta situation serait difficile, parce que, sorti
d'ici, tu ne saurais plus que devenir. A l'étranger aussi,
partout où tu iras, tu seras bien accueilli, et, si tu veux
aller en Thessalie, j'ai là des hôtes qui sauront t'apprécier et qui assureront ta sécurité de manière que tu ne
sois molesté par aucun Thessalien.

V. — Il y a plus, Socrate. Il me semble que tu vas commettre une faute, en te livrant toi-même, quand tu peux
te sauver et que tu cours au-devant de ce que tes ennemis
pourraient souhaiter et qu'ils ont en effet souhaité dans
leur impatience de te perdre. Ce n'est pas tout, et j'estime,
moi, que tu trahis aussi tes fils [41], que, pouvant les élever
et les instruire parfaitement, tu te dérobes et les abandonnes, et qu'en ce qui dépend de toi, tu t'en remets
de leur conduite au hasard. Ils seront naturellement en
butte aux maux qui attendent d'ordinaire les orphelins.
Il faut, ou bien ne pas avoir d'enfants, ou bien peiner
avec eux pour les nourrir et les instruire; mais toi,
tu me parais choisir le parti du moindre effort, alors
que c'est le parti que prennent les gens honnêtes et
courageux qu'il faudrait choisir, surtout lorsqu'on fait
profession de cultiver la vertu pendant toute sa vie.
Aussi je rougis pour toi et pour tes amis : j'ai peur qu'on
n'impute à notre lâcheté tout ce qui t'arrive, et l'introduction du procès devant la cour, alors qu'on pouvait l'éviter, et la façon dont le débat lui-même a été
conduit, et enfin ce dénouement dérisoire qui fait croire
que, par mollesse et lâcheté, nous n'avons pas pris garde
à ton procès, puisque nous ne t'avons pas sauvé et que
tu ne t'es pas sauvé toi-même, quand c'était certainement possible, pour peu que nous t'eussions soutenu.
Vois donc, Socrate, s'il n'y a pas là, sans parler du mal
qui t'attend, quelque chose de honteux pour toi comme
pour nous. Allons, réfléchis, ou plutôt ce n'est plus le
moment de réfléchir, tu dois avoir réfléchi, et tu n'as
qu'un parti à choisir, car il faut que tout soit exécuté
la nuit prochaine. Si nous attendons encore, il ne sera

plus possible de rien faire. Il le faut absolument, Socrate,
écoute-moi, et fais ce que je te dis.

SOCRATE

VI. — Ah! mon cher Criton, ton zèle aurait bien du
prix à mes yeux, s'il s'accordait avec le devoir; sinon, plus il
est ardent, plus il est fâcheux. Il nous faut donc examiner
si nous devons faire ce que tu proposes, ou non; car ce
n'est pas d'aujourd'hui, c'est de tout temps que j'ai pour
principe de n'écouter en moi qu'une seule voix, celle de la
raison, qui, à l'examen, me semble la meilleure. Les arguments que j'ai soutenus jusqu'ici, je ne puis les rejeter
parce qu'il m'est arrivé malheur; ils m'apparaissent au
contraire sensiblement identiques et j'ai pour eux le même
respect et la même déférence qu'auparavant. Si donc nous
n'avons rien de mieux à dire dans le cas présent, sache
bien que je ne te céderai pas, quand même la multitude
toute-puissante multiplierait ses épouvantails, pour nous
effrayer comme des enfants, et nous menacerait d'empri-
sonnements, de supplices, de confiscations. Comment donc
faire cet examen le mieux possible ? N'est-ce pas en reprenant tout d'abord l'idée que tu exprimais sur les opinions
des hommes ? Avions-nous raison ou tort de dire, chaque
fois que nous en avons parlé, qu'il y a des opinions dont il
faut tenir compte et d'autres, non ? Ou bien cette idée
était-elle juste avant ma condamnation à mort, tandis
qu'à présent nous voyons avec la clarté de l'évidence que
nous l'avons émise au hasard et pour parler, mais qu'en
réalité, c'était simple amusement et bavardage ? Je voudrais donc examiner avec toi, Criton, si elle me paraîtra
changée avec ma situation, ou la même qu'auparavant, et
si nous y renoncerons ou nous réglerons sur elle. Or voici
à peu près, si j'ai bonne mémoire, ce que disaient en
chaque entretien les gens sérieux. Ils disaient, comme
je viens de l'affirmer moi-même, que, parmi les opinions
que professent les hommes, il en est dont il faut tenir
grand compte, et d'autres non. Au nom des dieux,
Criton, cela ne te semble-t-il pas bien dit ? Car toi, autant
qu'on peut prévoir les choses humaines, tu n'es pas en
danger de mourir demain, et tu n'as pas l'esprit troublé
par la présence du malheur. Examine donc. Ne trouves-tu
pas que l'on a de justes raisons de dire qu'il ne faut pas
avoir égard à toutes les opinions des hommes, mais qu'il
faut avoir égard aux unes, aux autres non, et qu'il ne
faut pas non plus respecter celles de tous les hommes,

mais seulement celles des uns, non celles des autres. Qu'en dis-tu ? Cela n'est-il pas bien dit ?

CRITON

Si fait.

SOCRATE

Ne sont-ce pas les bonnes qu'il faut révérer, non les mauvaises ?

CRITON

Si.

SOCRATE

Et les bonnes ne sont-elles pas celles des gens sensés, les mauvaises celles des fous ?

CRITON

Sans doute.

SOCRATE

VII. — Voyons maintenant comment on a établi ce principe. Un homme qui s'exerce à la gymnastique et qui en fait son étude prête-t-il attention à l'éloge, à la critique, à l'opinion du premier venu, ou de celui-là seul qui est son médecin ou son pédotribe [42] ?

CRITON

De celui-là seul.

SOCRATE

C'est donc de celui-là seul qu'il doit craindre la critique et apprécier l'éloge, sans s'inquiéter du grand nombre.

CRITON

Evidemment oui.

SOCRATE

Il devra donc agir, s'exercer, manger et boire comme en décidera l'homme unique qui le dirige et qui est compétent, plutôt que de suivre l'avis de tous les autres ensemble.

CRITON

C'est incontestable.

SOCRATE

Voilà qui est entendu. Mais s'il désobéit à cet homme unique, s'il dédaigne son opinion et ses éloges pour suivre les avis de la foule incompétente, n'en éprouvera-t-il aucun mal ?

CRITON

Certainement si.

SOCRATE

Mais quel mal ? Sur quoi se portera-t-il ? sur quelle partie de l'individu désobéissant ?

CRITON

Sur son corps, évidemment ; car c'est son corps qu'il ruine.

SOCRATE

Bien dit ; mais, pour ne pas passer tout en revue, Criton, n'en est-il pas ainsi du reste ? et, en particulier, quand il s'agit du juste et de l'injuste, du laid et du beau, du bien et du mal, dont nous délibérons à présent, est-ce l'opinion du grand nombre que nous devons suivre et craindre, ou celle du seul juge compétent, s'il en est un ? Et ce juge unique, ne devons-nous pas le respecter et le craindre plus que tous les autres ensemble ? Car si nous ne lui obéissons pas, nous corromprons et gâterons ce qui, comme nous le disions, s'améliore par la justice et se perd par l'injustice [43]. Ou faut-il croire que tout cela n'est rien ?

CRITON

Je suis de ton avis là-dessus, Socrate.

SOCRATE

VIII. — Or donc, si nous ruinons ce qui s'améliore par la santé et se gâte par la maladie, pour obéir à l'opinion des gens incompétents, pourrons-nous vivre avec cette partie gâtée ? Et cette partie, c'est le corps, n'est-ce pas ?

CRITON

Oui.

SOCRATE

Or, pouvons-nous vivre avec un corps mauvais et gâté ?

CRITON

Non, assurément.

SOCRATE

Le pouvons-nous donc si nous avons ruiné ce que l'injustice dégrade et que la justice fortifie ? ou bien regardons-nous comme inférieure au corps cette partie de nous-mêmes à laquelle se rapportent l'injustice et la justice ?

CRITON

Non, certes.

SOCRATE

N'est-elle pas plus précieuse ?

CRITON

Beaucoup plus.

SOCRATE

Il ne faut donc pas, mon excellent Criton, nous mettre si fort en peine de ce que la multitude dira de nous, mais bien de ce que l'homme compétent sur le juste et l'injuste, notre seul juge, et la vérité même en pourront dire. Ainsi tu engages mal la discussion, en avançant d'abord que nous devons nous inquiéter de l'opinion de la foule sur le juste, le beau, le bien et leurs contraires. On pourra nous dire, il est vrai, que la foule est capable de nous faire périr.

CRITON

Evidemment, Socrate, on nous le dira.

SOCRATE

C'est vrai. Mais pour moi, étonnant Criton, le principe que nous avons établi me paraît toujours avoir la même valeur qu'avant. Considère aussi cet autre principe, que le plus important n'est pas de vivre, mais de bien vivre, et vois s'il subsiste toujours ou non pour nous.

CRITON

Oui, il subsiste.

SOCRATE

Et l'identité du bien, du beau et du juste subsiste-t-elle ou ne subsiste-t-elle pas ?

CRITON

Elle subsiste.

SOCRATE

IX. — Réglons-nous donc sur ces principes reconnus pour examiner s'il est juste que j'essaye de sortir d'ici sans l'aveu des Athéniens, ou si cela n'est pas juste. Si cela nous paraît juste, essayons; sinon, renonçons-y. Quant aux considérations que tu allègues sur la dépense, sur l'opinion, sur l'éducation des enfants, je crains bien qu'elles ne soient réellement, Criton, celles de ces gens qui font mourir à la légère et qui vous ressusciteraient, s'ils en avaient le pouvoir, sans plus de réflexion, je parle de la foule. Mais nous, puisque la raison le démontre, nous n'avons pas autre chose à considérer que ce que je disais tout à l'heure : ferons-nous acte de justice en donnant de l'argent à ceux qui me tireront d'ici et en y ajoutant notre reconnaissance, et en aidant à l'évasion et en nous évadant nous-même, ou bien commettronsnous réellement une injustice en faisant tout cela ? Et si nous voyons que ce serait une injustice de le faire, nous n'avons pas à calculer s'il nous faut mourir en restant ici sans bouger ou subir toute autre peine, quand il s'agit d'éviter l'injustice.

CRITON

Il me semble que tu as raison, Socrate. Vois donc ce que nous devons faire.

SOCRATE

Examinons-le ensemble, mon bon ami, et si tu as quelque objection à me faire, quand je parlerai, fais-la et je me rangerai à ton avis; sinon, cesse, bienheureux Criton, de me ressasser le même discours, que je dois m'évader d'ici malgré les Athéniens; car je tiens beaucoup à te faire approuver ma conduite et à ne pas te contrarier. Vois donc si tu seras satisfait du début de cet examen et essaye de répondre à mes questions en toute sincérité.

CRITON

J'essayerai.

SOCRATE

X. — Admettons-nous qu'en aucun cas il ne faut être injuste volontairement ou qu'il faut l'être en certains cas, en d'autres non ? ou bien reconnaissons-nous qu'en aucun cas l'injustice n'est ni bonne ni belle, comme nous en sommes convenus bien des fois précédemment et comme nous le disions encore tout à l'heure ? ou bien tous ces principes sur lesquels nous étions d'accord antérieurement se sont-ils dissipés en ces quelques jours ? Se peut-il donc, Criton, que, vieux comme nous sommes, nous nous entretenions sérieusement ensemble depuis si longtemps, sans nous apercevoir que nous parlons comme des enfants ? ou bien faut-il croire de préférence que ce que nous disions est vrai, que la foule en convienne ou non, et que, quel que soit le sort, plus rigoureux encore ou plus doux, qui nous est réservé, il n'en est pas moins certain que l'injustice est dans tous les cas pour celui qui la commet un mal et une honte ? L'affirmons-nous, oui ou non ?

CRITON

Nous l'affirmons.

SOCRATE

On ne doit donc jamais commettre d'injustice.

CRITON

Non, assurément.

SOCRATE

On ne doit donc pas non plus répondre à l'injustice par l'injustice, puisqu'il n'est jamais permis d'être injuste.

CRITON

Il est clair que non.

SOCRATE

Et faire du mal, Criton, le doit-on, ou non ?

CRITON

Non, assurément, Socrate.

SOCRATE

Mais rendre le mal pour le mal, cela est-il juste, comme on le dit communément, ou injuste ?

CRITON

Non, cela n'est pas juste.

SOCRATE

C'est qu'entre faire du mal aux gens et être injuste il n'y a pas de différence.

CRITON

Tu dis vrai.

SOCRATE

Il ne faut donc pas répondre à l'injustice par l'injustice ni faire du mal à aucun homme, quoi qu'il nous ait fait. Prends garde, Criton, qu'en m'accordant cela, tu ne l'accordes contre ta pensée; car il y a, je le sais, et il y aura toujours peu de gens pour en être convaincus. Or, entre ceux qui sont de cet avis et ceux qui ne le sont pas, il n'y a pas d'entente possible, et ils ne peuvent que se mépriser en voyant qu'ils prennent des directions opposées. Examine donc avec soin de ton côté si tu es d'accord avec moi et si tu partages ma conviction et si nous pouvons discuter en partant de ce principe qu'il n'est jamais bien d'être injuste, ni de répondre à l'injustice par l'in-

justice, ni, quand on nous fait du mal, de nous venger en le
rendant; ou bien te sépares-tu de moi et repousses-tu
ce principe ? Moi, je le tiens pour vrai depuis longtemps et
aujourd'hui encore; mais si tu es, toi, d'un autre avis,
dis-le, et explique-toi. Si, au contraire, tu restes fidèle à ton
premier sentiment, écoute ce qui s'ensuit.

CRITON

Oui, j'y reste fidèle et je partage ton avis. Ainsi, parle.

SOCRATE

Je vais donc dire ce qui s'ensuit, ou plutôt t'interroger.
Si l'on a accordé à quelqu'un qu'une chose est juste, faut-
il la faire ou lui manquer de parole ?

CRITON

Il faut la faire.

SOCRATE

XI. — Cela posé, considère la suite. En sortant d'ici
sans avoir obtenu l'assentiment de la cité, faisons-nous
du mal à quelqu'un, à ceux-là précisément qui le méritent
le moins, oui ou non ? et restons-nous fidèles à ce que
nous avons reconnu comme juste, oui ou non ?

CRITON

Je ne peux répondre à ta question, Socrate; je ne la
comprends pas.

SOCRATE

Eh bien, suis mon explication. Suppose qu'au moment
où nous allons nous évader, ou quel que soit le terme dont
il faut qualifier notre sortie, les lois et l'État viennent se
présenter devant nous et nous interrogent ainsi : « Dis-
nous, Socrate, qu'as-tu dessein de faire ? Que vises-tu par
le coup que tu vas tenter, sinon de nous détruire, nous,
les lois et l'État tout entier, autant qu'il est en ton
pouvoir ? Crois-tu qu'un État puisse encore subsister et
n'être pas renversé, quand les jugements rendus n'y ont
aucune force et que les particuliers les annulent et les
détruisent ? » Que répondrons-nous, Criton, à cette question, et à d'autres semblables ? Car que n'aurait-on pas
à dire, surtout un orateur, en faveur de cette loi détruite,
qui veut que les jugements rendus soient exécutés ? Leur
répondrons-nous : « L'État nous a fait une injustice,
il a mal jugé notre procès ? » Est-ce là ce que nous répondrons ou dirons-nous autre chose ?

CRITON

C'est cela, Socrate, assurément.

SOCRATE

XII. — Et si les lois nous disaient : « Est-ce là, Socrate,
ce qui était convenu entre nous et toi ? Ne devrais-tu pas
t'en tenir aux jugements rendus par la cité ? » Et si nous
nous étonnions de ce langage, peut-être diraient-elles :
« Ne t'étonne pas, Socrate, de ce que nous disons, mais
réponds-nous, puisque tu as coutume de procéder par
questions et par réponses. Voyons, qu'as-tu à reprocher
à nous et à l'État pour entreprendre de nous détruire ?
Tout d'abord, n'est-ce pas à nous que tu dois la vie et
n'est-ce pas sous nos auspices que ton père a épousé ta
mère et t'a engendré ? Parle donc : as-tu quelque chose
à redire à celles d'entre nous qui règlent les mariages ?
les trouves-tu mauvaises ? — Je n'ai rien à y reprendre,
dirais-je. — Et à celles qui président à l'élevage de l'enfant et à son éducation, éducation que tu as reçue comme
les autres ? Avaient-elles tort, celles de nous qui en sont
chargées, de prescrire à ton père de t'instruire dans la
musique et la gymnastique ? — Elles avaient raison,
dirais-je. — Bien. Mais après que tu es né, que tu as
été élevé, que tu as été instruit, oserais-tu soutenir
d'abord que tu n'es pas notre enfant et notre esclave,
toi et tes ascendants ? Et s'il en est ainsi, crois-tu avoir
les mêmes droits que nous et t'imagines-tu que tout ce
que nous voudrons te faire, tu aies toi-même le droit de
nous le faire à nous ? Quoi donc ? Il n'y avait pas égalité
de droits entre toi et ton père ou ton maître, si par hasard
tu en avais un, et il ne t'était pas permis de lui faire ce
qu'il te faisait, ni de lui rendre injure pour injure, coup
pour coup, ni rien de tel; et à l'égard de la patrie et des
lois, cela te serait permis ! et, si nous voulons te perdre,
parce que nous le trouvons juste, tu pourrais, toi, dans
la mesure de tes moyens, tenter de nous détruire aussi,
nous, les lois et ta patrie, et tu prétendrais qu'en faisant
cela, tu ne fais rien que de juste, toi qui pratiques réellement la vertu! Qu'est-ce donc que ta sagesse, si tu ne
sais pas que la patrie est plus précieuse, plus respectable,
plus sacrée qu'une mère, qu'un père et que tous les
ancêtres, et qu'elle tient un plus haut rang chez les dieux
et chez les hommes sensés; qu'il faut avoir pour elle,
quand elle est en colère, plus de vénération, de soumission
et d'égards que pour un père, et, dans ce cas, ou la

ramener par la persuasion ou faire ce qu'elle ordonne
et souffrir en silence ce qu'elle vous ordonne de souffrir,
se laisser frapper ou enchaîner ou conduire à la guerre
pour y être blessé ou tué; qu'il faut faire tout cela parce
que la justice le veut ainsi; qu'on ne doit ni céder, ni
reculer, ni abandonner son poste, mais qu'à la guerre,
au tribunal et partout il faut faire ce qu'ordonnent
l'État et la patrie, sinon la faire changer d'idée par
des moyens qu'autorise la loi? Quant à la violence,
si elle est impie à l'égard d'une mère ou d'un père, elle
l'est bien davantage encore envers la patrie. » Que répondrons-nous à cela, Criton ? que les lois disent la vérité
ou non ?

CRITON

La vérité, à mon avis.

SOCRATE

XIII. — « Vois donc, Socrate, pourraient dire les lois,
si nous disons la vérité, quand nous affirmons que tu
n'es pas juste de vouloir nous traiter comme tu le projettes aujourd'hui. C'est nous qui t'avons fait naître,
qui t'avons nourri et instruit; nous t'avons fait part
comme aux autres citoyens de tous les biens dont nous
disposions, et nous ne laissons pas de proclamer, par
la liberté que nous laissons à tout Athénien qui veut
en profiter, que, lorsqu'il aura été inscrit parmi les
citoyens et qu'il aura pris connaissance des mœurs
politiques et de nous, les lois, il aura le droit, si nous lui
déplaisons, de s'en aller où il voudra en emportant ses
biens avec lui. Et si l'un de vous veut se rendre dans une
colonie, parce qu'il s'accommode mal de nous et de
l'État, ou aller s'établir dans quelque ville étrangère,
nous ne l'empêchons ni ne lui défendons d'aller où il
veut et d'y emporter ses biens. Mais, qui que ce soit de
vous qui demeure ici, où il voit de quelle manière nous
rendons la justice et administrons les autres affaires
publiques, dès là nous prétendons que celui-là s'est de
fait engagé à faire ce que nous commanderons et que, s'il
ne nous obéit pas, il est trois fois coupable, d'abord parce
qu'il nous désobéit, à nous qui lui avons donné la vie,
ensuite parce qu'il se rebelle contre nous qui l'avons
nourri, enfin parce que, s'étant engagé à nous obéir, ni
il ne nous obéit, ni il ne cherche à nous convaincre,
si nous faisons quelque chose qui n'est pas bien, et, bien
que nous proposions nos ordres, au lieu de les imposer

durement, et que nous lui laissions le choix de nous convaincre ou de nous obéir, il ne fait ni l'un ni l'autre.

XIV. — Voilà, Socrate, les accusations auxquelles, nous t'en avertissons, tu seras exposé, si tu fais ce que tu as en tête ; tu y seras même exposé plus que tout autre Athénien. » Et si je leur en demandais la raison, peut-être me gourmanderaient-elles justement, en me rappelant que plus que tout autre Athénien je me suis engagé à leur obéir. Elles pourraient me dire : « Nous avons, Socrate, de fortes preuves que nous te plaisions, nous et l'État. Et en effet tu ne serais pas resté dans cette ville plus assidûment que tout autre Athénien, si elle ne t'avait pas agréé plus qu'à tout autre, au point même que tu n'en es jamais sorti pour aller à une fête, sauf une fois, à l'isthme, ni quelque part ailleurs, si ce n'est en expédition militaire ; que tu n'as jamais fait, comme les autres, aucun voyage ; que tu n'as jamais eu la curiosité de voir une autre ville ni de connaître d'autres lois, et que nous t'avons toujours suffi, nous et notre cité, tant tu nous as préférées à tout, tant tu étais décidé à vivre suivant nos maximes. Tu as même eu des enfants dans cette ville, témoignant ainsi qu'elle te plaisait. Il y a plus : même dans ton procès, tu pouvais, si tu l'avais voulu, te taxer à la peine de l'exil, et, ce que tu projettes aujourd'hui malgré la ville, l'exécuter avec son assentiment. Mais tu te vantais alors de voir la mort avec indifférence ; tu déclarais la préférer à l'exil ; et aujourd'hui, sans rougir de ces belles paroles, sans te soucier de nous, les lois, tu entreprends de nous détruire, tu vas faire ce que ferait le plus vil esclave, en essayant de t'enfuir au mépris des accords et des engagements que tu as pris avec nous de te conduire en citoyen. Réponds-nous donc d'abord sur ce point : Disonsnous la vérité, quand nous affirmons que tu t'es engagé à vivre sous notre autorité, non en paroles, mais en fait, ou n'est-ce pas vrai ? » Que pouvons-nous répondre à cela, Criton ? Ne faut-il pas en convenir ?

CRITON

Il le faut, Socrate.

SOCRATE

« Que fais-tu donc, poursuivraient-elles, que de violer les conventions et les engagements que tu as pris avec nous, sans qu'on t'y ait forcé, ni trompé, ni laissé trop

peu de temps pour y penser, puisque tu as eu pour cela
soixante-dix ans pendant lesquels tu pouvais t'en aller,
si nous ne te plaisions pas et si les conditions du traité ne
te paraissaient pas justes. Or tu n'as préféré ni Lacédémone, ni la Crète, dont tu vantes en toute occasion les
bonnes lois, ni aucun autre État, grec ou barbare, et tu
es moins souvent sorti d'ici que les boîteux, les aveugles
et autres estropiés, tellement tu étais satisfait, plus que
les autres Athéniens, et de la ville et aussi de nous,
évidemment; car qui aimerait une ville sans aimer ses
lois? Et aujourd'hui tu manquerais à tes engagements!
Tu ne le feras pas, Socrate, si tu nous en crois, et tu
ne te rendras pas ridicule en t'échappant de la ville.

XV. — Réfléchis donc : si tu violes tes engagements,
si tu manques à quelqu'un d'eux, quel bien t'en revien-
dra-t-il à toi ou à tes amis ? Que ceux-ci risquent d'être
exilés, eux aussi, d'être exclus de la ville ou de perdre
leur fortune, c'est chose à peu près certaine. Pour toi,
tout d'abord, si tu te retires dans quelqu'une des villes
les plus voisines, Thèbes ou Mégare, car toutes les deux
ont de bonnes lois, tu y arriveras, Socrate, en ennemi
de leur constitution, et tous ceux qui ont souci de leur
ville te regarderont d'un œil défiant comme un corrupteur des lois, et tu confirmeras en faveur de tes
juges l'opinion qu'ils ont bien jugé ton procès; car tout
corrupteur des lois passe à juste titre pour un corrupteur
de jeunes gens et de faibles d'esprit. Alors, éviteras-tu
les villes qui ont de bonnes lois et les hommes les plus
civilisés ? Et si tu le fais, sera-ce la peine de vivre ?
Ou bien t'approcheras-tu d'eux et auras-tu le front de
leur tenir... quels discours, Socrate ? Ceux mêmes que
tu tenais ici, que les hommes n'ont rien de plus précieux
que la vertu et la justice, la légalité et les lois ? Et crois-
tu que l'inconvenance de la conduite de Socrate échappera au public ? Tu ne peux pas le croire.

Mais peut-être t'éloigneras-tu de ces pays-là pour te
rendre en Thessalie, chez les hôtes de Criton. C'est là
que tu trouveras le plus de désordre et de licence, et
peut-être aura-t-on plaisir à t'entendre raconter de
quelle façon grotesque tu t'es évadé de ta prison, affublé
de je ne sais quel costume, d'une casaque de peau ou
de tel autre accoutrement coutumier aux esclaves fugitifs,
et tout métamorphosé extérieurement. Mais qu'âgé
comme tu l'es, n'ayant vraisemblablement plus que peu

de temps à vivre, tu aies montré un désir si tenace de vivre, au mépris des lois les plus importantes, est-ce une chose qui échappera à la médisance ? Peut-être, si tu n'offenses personne. Sinon, Socrate, tu entendras bien des propos humiliants pour toi. Tu vivras donc en flattant tout le monde, comme un esclave ; et que feras-tu en Thessalie que de festiner, comme si tu t'y étais rendu pour un banquet ? Et alors, ces beaux discours sur la justice et sur la vertu qu'en ferons-nous ? Mais peut-être veux-tu te conserver pour tes enfants, afin de les élever et de les instruire. Quoi ? les emmèneras-tu en Thessalie pour les élever et les instruire, et faire d'eux des étrangers, pour qu'ils te doivent encore cet avantage ? Ou bien non, c'est ici qu'ils seront élevés ; mais penses-tu que, parce que tu seras en vie, ils seront mieux élevés, mieux instruits si tu ne vis pas avec eux ? Les amis que tu laisses en prendront soin, dis-tu. Mais, s'ils en prennent soin au cas où tu t'exilerais en Thessalie, n'en prendront-ils pas soin aussi si tu t'en vas chez Hadès ? Si vraiment tu peux attendre quelque service de ceux qui se disent tes amis, ils en auront soin, tu n'en dois pas douter.

XVI. — Allons, Socrate, écoute-nous, nous qui t'avons nourri, et ne mets pas tes enfants, ni ta vie, ni quoi que ce soit au-dessus de la justice, afin qu'arrivé chez Hadès, tu puisses dire tout cela pour ta défense à ceux qui gouvernent là-bas. Car, si tu fais ce qu'on te propose, il est manifeste que dans ce monde ta conduite ne sera pas meilleure, ni plus juste, ni plus sainte, ni pour toi, ni pour aucun des tiens, et que tu ne t'en trouveras pas mieux, quand tu arriveras là-bas. Si tu pars aujourd'hui pour l'autre monde, tu partiras condamné injustement, non par nous, les lois, mais par les hommes. Si, au contraire, tu t'évades après avoir si vilainement répondu à l'injustice par l'injustice, au mal par le mal, après avoir violé les accords et les contrats qui te liaient à nous, après avoir fait du mal à ceux à qui tu devais le moins en faire, à toi, à tes amis, à ta patrie et à nous, alors nous serons fâchées contre toi durant ta vie et là-bas, nos sœurs, les lois de l'Hadès, ne t'accueilleront pas favorablement, sachant que tu as tenté de nous détruire, autant qu'il dépendait de toi. Allons, ne te laisse pas gagner aux propositions de Criton ; écoute-nous plutôt. »

XVII. — Voilà, sache-le bien, Criton, mon cher camarade, ce que je crois entendre, comme les gens en proie à
la fureur des corybantes croient entendre les flûtes, et le
son de ces paroles bourdonne en moi et me rend incapable d'entendre autre chose. Dis-toi donc que dans
l'état d'esprit où je suis, quoi que tu m'objectes, tu perdras
ta peine. Cependant, si tu crois pouvoir réussir, parle.

CRITON

Non, Socrate, je n'ai rien à dire.

SOCRATE

Alors laissons cela, Criton, et faisons ce que je dis,
puisque c'est la voie que le dieu nous indique.

NOTICE
SUR LE PHÉDON

Nous sommes à Phliunte, ville du Péloponnèse, où il
y avait, comme à Thèbes, un petit groupe de Pythagoriciens, très sympathiques au cercle socratique d'Athènes. Phédon d'Élis, qui avait assisté à la mort de Socrate,
étant de passage à Phliunte, s'est rendu au synédrion
(cercle) pythagoricien, où il a des amis. L'un d'eux,
Échécrate, l'interroge sur les derniers moments de
Socrate. Tout ce que nous en savons, dit-il, c'est qu'il a
été condamné à mort, et qu'il est resté longtemps en
prison. Pourquoi ? — C'est que, dit Phédon, la veille du
jugement, on avait couronné la poupe du vaisseau que
les Athéniens envoient tous les ans à Délos, pour commé-
morer la victoire de Thésée sur le Minotaure. Or, jusqu'au
retour du vaisseau, la loi défend d'exécuter un condamné.
— Dis-nous maintenant, reprit Échécrate, quels furent
ceux qui assistèrent à son dernier jour. — C'étaient
Apollodore, Criton et son fils Critobule, Hermogène,
Épigène, Eschine, Antisthène, Ctèsippe et Ménexène,
tous Athéniens, et, parmi les étrangers, Simmias de
Thèbes, Cébès et Phaidondès, enfin Euclide et Terpsion
de Mégare. Platon était malade et Aristippe et Cléombrote se trouvaient à Égine.

Nous nous rassemblions tous les jours dans la prison
de Socrate; mais, ayant appris l'arrivée du vaisseau,
nous y vînmes le lendemain de grand matin. Socrate
était avec sa femme Xanthippe, qui, à notre vue, se mit
à pousser des cris et des plaintes. Socrate la fit reconduire
et l'entretien commença. On venait de lui ôter ses fers.
Le plaisir qu'il en ressentait lui inspira cette réflexion
que le plaisir et son contraire, la douleur, se suivent
comme s'ils étaient attachés ensemble. Si Ésope avait
remarqué cela, dit-il, il en aurait composé une fable. —

Cela me fait souvenir, dit Cébès, qu'Évènos m'a demandé quelle idée tu as eue de mettre en vers des fables d'Ésope. — Réponds-lui, repartit Socrate, que je l'ai fait sur l'ordre d'un songe; salue-le de ma part, et dis-lui de me suivre le plus vite possible. Il y consentira s'il est philosophe; cependant il ne se fera pas violence à lui-même. — Comment, demanda Cébès, accordes-tu ces deux assertions qu'il n'est pas permis de se faire violence à soi-même et d'autre part que le philosophe est disposé à suivre celui qui meurt ? — C'est que, dit Socrate, nous sommes ici-bas comme dans un poste d'où il n'est pas permis de s'évader sans le congé des dieux qui nous y ont placés. Mais, quand le moment de mourir est venu, le philosophe n'en est point fâché, parce qu'il espère trouver dans l'autre monde d'autres dieux également bons et des hommes meilleurs que ceux d'ici.

A ce moment, Criton intervint et avertit Socrate de ne point parler, s'il ne voulait pas s'échauffer et contrarier ainsi l'action du poison. Socrate ne tint aucun compte de cet avertissement. Mais cette interruption de l'entretien est un petit intermède destiné à marquer que la vraie discussion va commencer.

Quel est le but du philosophe ? Se détacher du corps autant que possible; car les distractions que donne le corps gênent l'âme dans sa poursuite de la vérité. Pour voir le bon en soi, le beau en soi et toutes les essences, le corps est un obstacle; on ne les saisit qu'avec la pensée seule et toute pure, en sorte qu'il faut attendre la mort pour que l'âme, séparée de lui, puisse atteindre pleinement la vérité. Le philosophe aurait donc tort de craindre la mort, après s'être exercé toute sa vie à s'abstraire de son corps, c'est-à-dire en somme après s'être exercé à mourir. — Ce que tu dis, reprit Cébès, est exact. Mais la plupart des gens ne croient pas que l'âme existe encore, une fois séparée du corps. La grande et belle espérance dont tu parles demande à être fondée sur des preuves solides.

— Examinons à fond la question, dit Socrate. Une ancienne tradition veut que les âmes qui ont quitté ce monde existent dans l'Hadès et que de là elles reviennent ici. Si nous étendons notre enquête de l'âme à tout ce qui a vie, nous constatons qu'une chose naît de son contraire, le plus grand du plus petit et le plus petit du plus grand, le beau du laid et le laid du beau, le sommeil de la veille et la veille du sommeil. C'est ainsi que la vie

naît de la mort et la mort de la vie. Cette dernière génération est visible tous les jours; nous ne voyons pas
l'autre, celle qui va de la mort à la vie; mais, à moins
que la nature ne soit boiteuse, il faut l'admettre aussi.
Si en effet les naissances ne s'équilibraient pas d'un
contraire à l'autre et se faisaient uniquement dans un
seul sens, d'un contraire à celui qui lui fait face, et jamais
inversement, tout finirait par être dans le même état;
la génération s'arrêterait et tout tomberait dans la mort.

Cette preuve par les contraires est confirmée par la
théorie de la réminiscence. Apprendre est se souvenir,
et la preuve, c'est que, quand on interroge bien les hommes, ils découvrent d'eux-mêmes la vérité sur chaque
chose, ce qu'ils seraient incapables de faire s'ils n'avaient
la science en eux-mêmes. Pour se souvenir d'une chose,
il faut l'avoir apprise auparavant. Or, quand, à propos
d'une chose, nous nous souvenons d'une autre, quand,
par exemple, la vue d'un manteau évoque celui qui le
portait, c'est ce que j'appelle réminiscence. Lorsque nous
voyons deux pierres égales, nous les jugeons telles en les
comparant à l'égalité absolue vers laquelle elles tendent
sans l'atteindre jamais. Il faut donc que nous ayons eu
connaissance de l'égalité absolue avant de percevoir les
choses sensibles, pour pouvoir dire que, sous le rapport
de l'égalité, elles sont inférieures à l'égalité absolue. Et
il en est de même de toutes les notions absolues, du bon
absolu, du beau absolu. Ces notions, les sens sont incapables de nous les fournir. Il faut donc que nos âmes les
aient apportées toutes faites d'une existence antérieure.

Cependant Simmias et Cébès ne sont pas satisfaits.
Ils admettent bien que notre âme ait existé avant notre
naissance; mais il reste à démontrer qu'elle existe encore
après la mort. — Cette démonstration, vous l'avez,
réplique Socrate, si à la preuve de la réminiscence vous
joignez celle des contraires. Si en effet l'âme ne peut
naître que de ce qui est mort, il faut nécessairement
qu'elle existe encore après la mort, puisqu'elle doit
revenir à la vie.

Comme les deux Thébains ont encore des doutes,
Socrate complète les deux premières preuves par une
troisième, tirée de la simplicité de l'âme. La mort n'est
autre chose que la dissolution des divers éléments des
choses composées; mais les choses simples, comme les
essences, sont indissolubles, et l'âme appartient à l'espèce des essences.

De plus, c'est l'âme qui commande et le corps qui
obéit. Par là, l'âme ressemble au divin, qui est fait pour
commander, et le corps ressemble à ce qui est mortel et
fait pour obéir. Dès lors, n'est-il pas naturel que le corps
se dissolve et que l'âme soit indissoluble ou à peu près ?
Si elle s'est bien détachée du corps pendant la vie, on
peut croire qu'elle s'en ira vers ce qui est divin et passera
son existence avec les dieux. Au contraire, l'âme qui est
restée attachée au corps est tirée en arrière vers le monde
visible; elle hante les tombeaux sous forme de fantôme,
et elle rentre dans des corps de bêtes dont la nature cor-
respond à la sienne. Les âmes de vertu moyenne reviennent dans des races sociables et douces comme elles.
Seules, les âmes des vrais philosophes entrent dans la
race des dieux. La philosophie leur remontre que le
témoignage des sens est plein d'illusions, que chaque
plaisir et chaque peine rive l'âme au corps, la rend semblable à lui et lui fait croire que ce que dit le corps est
vrai. Elle reste ainsi contaminée par le corps et, quand
elle en sort, elle retombe promptement dans un autre
corps, et elle est privée du commerce de ce qui est divin,
pur et simple. C'est pour ces raisons que les philosophes
sont tempérants et courageux, au lieu de l'être à la façon
du vulgaire, qui ne l'est que pour éviter un mal. Une âme
ainsi nourrie dans le détachement du corps n'a pas à
craindre, en le quittant, d'être dispersée par les vents,
comme le croit le vulgaire.

Ces paroles furent suivies d'un long silence, chacun
s'absorbant dans la pensée de ce qui venait d'être dit.
Cependant Socrate s'aperçut que Simmias et Cébès
causaient à voix basse entre eux et leur demanda s'ils
avaient quelque chose à redire à sa démonstration. —
Oui, dirent-ils; chacun de nous a son objection à te présenter. Voici la mienne, dit Simmias. On peut assimiler
l'âme à l'harmonie d'une lyre, notre corps est tendu et
maintenu par le chaud, le froid, le sec, l'humide, et l'âme
est un mélange et une harmonie de ces éléments. Or si
l'âme est une harmonie, elle doit périr comme les autres
harmonies qui sont dans les sons et dans les ouvrages
des artisans, et périr même avant les éléments du corps.

Avant de répondre, Socrate invite Cébès à exposer aussi
son objection. Je suis comme toi, dit Cébès, convaincu
que notre âme existait avant notre naissance, mais non
qu'elle existe toujours après la mort. L'âme est, à mon
avis, plus durable que le corps; mais elle n'est pas immor-

telle pour cela. On peut l'assimiler à un tisserand qui a
usé un grand nombre d'habits qu'il s'est faits lui-même
et qui meurt après eux, mais avant le dernier qu'il a
porté. L'âme peut ainsi user plusieurs corps, et mourir
avec le dernier qu'elle s'est tissé. Dès lors l'homme
qui affronte la mort avec confiance est un insensé; car
il se peut que son âme périsse avec son corps.

La gravité de ces deux objections a atterré les auditeurs, qui, en voyant par terre les arguments de Socrate,
ont peur qu'il n'arrive pas à justifier sa confiance dans
une vie plus heureuse. Socrate essaie d'abord de leur
rendre confiance dans la validité des raisonnements.
Pour cela, s'adressant à Phédon, qui est assis à ses pieds,
il lui remontre que les faux raisonnements ne doivent
pas rendre sceptiques et que, si l'on s'est trompé, il ne
faut s'en prendre qu'à soi-même et à son incapacité, et
non au raisonnement. Aussi demande-t-il à Simmias et
à Cébès de bien surveiller son argumentation pour éviter
l'erreur.

Avant d'entamer la discussion décisive, Socrate
demande à ses deux contradicteurs s'ils acceptent la théorie de la réminiscence et l'existence de l'âme avant notre
naissance. Ils déclarent tous les deux qu'ils en sont
convaincus. Alors, prenant d'abord Simmias à partie, il
n'a pas de peine à le mettre en contradiction avec lui-
même; car comment soutenir que l'âme, étant une
harmonie, puisse exister avant les éléments dont elle est
formée ? On peut d'ailleurs prouver d'une autre manière
que l'âme n'est pas une harmonie. Il y a des degrés dans
les harmonies, selon que les éléments d'où elles résultent
sont plus ou moins bien harmonisés; mais dans l'âme il
n'y a pas de degrés; chaque âme est exactement ce qu'est
une autre âme. En outre, nous disons que certaines âmes
sont vertueuses et d'autres vicieuses. Or nous admettons
que la vertu est harmonie et le vice dissonance. Il s'ensuit
que l'âme vertueuse a en elle une autre harmonie, et la
vicieuse une dissonance, ce qui est contraire à nos prémisses. A moins d'admettre qu'il n'y a pas d'âme plus
vertueuse ou plus vicieuse qu'une autre, l'âme n'est donc
pas une harmonie. Enfin c'est l'âme qui commande et
le corps qui obéit. Si elle était une harmonie, elle suivrait
les éléments qui la composent au lieu de les régenter.

Reste la thèse de Cébès; elle est plus difficile à réfuter;
car elle exige une investigation complète sur les causes
de la génération et de la corruption. A ce propos, Socrate

commence par raconter ses propres expériences. Dans
ma jeunesse, dit-il, je me demandais avec les vieux phy-
siologues quelles étaient les causes des choses, si, par
exemple, le froid et le chaud étaient les forces qui
avaient formé l'univers, si c'était le sang, le feu ou l'air
qui étaient la cause de l'intelligence. Mais ces recherches,
loin de m'éclairer, me jetèrent dans une telle perplexité
que je me reconnus incapable de les poursuivre. Or un
jour, ayant entendu lire dans un livre d'Anaxagore que
l'Esprit est la cause de toutes choses, je fus enthousiasmé
de cette découverte. Il me parut que l'Esprit ne pouvait
disposer les choses que de la façon la meilleure, et je
pensai qu'Anaxagore allait tout expliquer par là. Il n'en
était rien. Au lieu de chercher dans le mieux les véritables
causes, il les cherchait dans l'air, dans l'eau, dans l'éther,
confondant les conditions de l'existence avec les causes
de l'existence. C'est comme si l'on disait que je suis
assis ici et cause avec vous, parce que j'ai des tendons,
des os, de la voix, au lieu de dire que c'est parce que je l'ai
jugé meilleur.

Aussi je changeai de méthode, et je cherchai la cause
dans les Idées comme le bien en soi, le beau en soi. Les
choses sensibles ne sont bonnes ou belles que parce
qu'elles participent du bien en soi, de la beauté en soi,
et de même pour la grandeur, la petitesse et les autres
essences. Qu'on m'interroge donc sur la cause d'une
belle chose, je répondrai simplement que c'est l'Idée
du beau, et j'écarterai toute autre réponse. Si l'on me
demande pourquoi Simmias est plus grand que Socrate
et plus petit que Phédon, je dirai que c'est la grandeur
qui est en lui qui est plus grande que la petitesse qui est
dans Socrate, et que c'est la petitesse qui est en lui qui
est plus petite que la grandeur qui est dans Phédon ; car
cela n'a rien à faire avec la personnalité de Simmias, de
Socrate et de Phédon. Nous voyons par cet exemple que
deux Idées peuvent coexister dans le même sujet, bien
qu'elles ne puissent pas se combiner l'une avec l'autre.
Ainsi la grandeur en elle-même ne veut jamais être à la
fois grande et petite, et la grandeur qui est en nous
n'admet pas la petitesse. Aucun contraire ne veut devenir
son contraire, mais, ou bien il se retire, ou bien il périt.

Ici quelqu'un objecta qu'on avait admis auparavant
que les contraires naissent des contraires. C'est que,
répondit Socrate, nous parlions des choses qui ont des
contraires ; à présent nous parlons des contraires eux-

mêmes, c'est-à-dire des essences. Et il est évident que non seulement ces contraires absolus s'excluent les uns les autres, mais encore que toutes les choses qui, sans être contraires les unes aux autres, contiennent toujours des contraires, ne reçoivent pas non plus l'idée contraire à celle qui est en elles, et qu'à son approche elles périssent ou cèdent la place. Ainsi le nombre trois, qui n'est pas l'impair absolu, mais qui contient l'idée de l'impair, ne deviendra jamais pair tout en restant trois. De même l'âme qui entre dans un corps et y apporte toujours la vie, ne recevra jamais le contraire de ce qu'elle apporte, c'est-à-dire la mort. Elle est donc immortelle et par suite indestructible.

La conséquence de l'immortalité, c'est qu'il faut prendre soin de son âme, non seulement pour le temps de cette vie, mais pour tout le temps à venir. Il faut la rendre la meilleure possible. Car les âmes sont jugées après la mort et traitées comme elles l'ont mérité pendant la vie : les âmes souillées par les vices du corps errent longtemps avant d'arriver au séjour qui leur est réservé, tandis que les âmes pures, guidées par les dieux, vont tout droit à la résidence qui les attend.

A ce propos, Socrate expose dans un mythe l'idée qu'il se fait de la terre et des lieux souterrains où séjournent les morts. La terre est sphérique et divisée en beaucoup de creux pareils à celui de la Méditerranée, dont nous habitons les bords. Mais au-dessus de ces creux habités par les hommes, il y a une terre plus pure, qui est située dans le ciel pur, dans l'éther, où sont les astres. Elle est beaucoup plus brillante, plus riche en productions et en beautés de toutes sortes que la nôtre.

Toutes les cavités de notre terre communiquent entre elles par des canaux souterrains remplis d'eau. Il y a sous terre des fleuves immenses qui se jettent dans un vaste gouffre, le Tartare, pour en sortir ensuite. Ce qui fait que tous les fleuves sortent de ce gouffre et y retombent, c'est que leurs eaux ne trouvant là ni fond ni appui, oscillent tantôt vers le bas, tantôt vers le haut, où elles forment les lacs et les mers de la surface de la terre. Parmi ces fleuves, il y en a quatre principaux : l'Océan, qui encercle le globe; l'Achéron, qui se jette dans le lac Achérousiade, où se rendent la plupart des âmes des morts et d'où elles sont renvoyées pour renaître parmi les vivants; le Pyriphlégéthon et enfin le Cocyte, qui tous deux tombent aussi dans le lac Achérousiade.

Après leur jugement, les morts qui ont mené une vie

moyenne, entre le vice et la vertu, s'embarquent sur
l'Achéron pour le lac Achérousiade, où ils se purifient.
Les grands criminels, regardés comme incurables, sont
précipités dans le Tartare, d'où ils ne sortiront jamais.
Ceux qui ont commis des crimes ordinaires, mais s'en
sont repentis, tombent dans le Tartare, y restent un an,
puis en sortent, soit par le Cocyte, soit par le Pyriphlégéthon, pour venir au bord de l'Achérousiade. Là, ils
appellent à grands cris ceux qu'ils ont offensés et, s'ils
obtiennent leur pardon, ils entrent dans le lac Achérousiade et voient la fin de leurs maux; sinon, leur punition
continue jusqu'à ce qu'ils aient fléchi leurs victimes.
Ceux qui ont mené une vie sainte vont au contraire habiter la terre pure, et les âmes des philosophes des résidences
plus belles encore. Voilà ce qui doit rassurer le philosophe qui a pratiqué la tempérance et la justice.

Quand Socrate eut fini de parler, Criton lui demanda
s'il n'avait pas quelques recommandations à faire. Prenez
soin de vous-mêmes, répondit-il; je n'ai pas autre chose
à vous demander. — Comment faudra-t-il t'ensevelir?
— Comme vous voudrez, dit-il. Le pauvre Criton s'imagine que je suis celui qu'il verra tout à l'heure sous forme
de cadavre. Persuadez-lui que je ne resterai pas ici quand
je serai mort, mais que j'irai goûter les félicités des bienheureux.

Socrate sortit alors pour prendre un bain, afin d'épargner aux femmes la peine de le laver après sa mort. On
lui amena ses enfants et ses parentes. Il s'entretint quelque
temps avec elles, puis revint à ses amis. Mais, presque
aussitôt, le serviteur des Onze se présenta pour l'avertir
que son heure était arrivée; il loua la douceur et la
patience de son prisonnier, puis se détourna pour pleurer. Socrate lui dit adieu, en faisant l'éloge de sa bonté,
et demanda le poison. Criton lui fit observer que le
soleil était encore sur les montagnes et qu'il pouvait
différer et attendre comme les autres le dernier moment.
« Je n'ai rien à gagner à attendre, répondit-il : je me
rendrais ridicule à mes yeux. » On apporta la coupe.
Socrate la prit avec une sérénité parfaite. Il demanda
s'il pouvait en faire une libation à un dieu. L'homme
qui avait apporté le poison lui répondit qu'on n'en
broyait que juste ce qui était nécessaire. Alors Socrate
épuisa la coupe.

Nous nous mîmes tous à pleurer et à nous lamenter.
Apollodore surtout poussait des plaintes à fendre le

cœur. « Que faites-vous ? dit Socrate. Si j'ai renvoyé les
femmes, c'était pour éviter ces lamentations déplacées. »
Comme ses jambes s'appesantissaient, il se coucha sur
le dos. Peu à peu, le froid gagna les jambes, puis le
bas-ventre. Sentant sa fin approcher, Socrate dit à Criton :
« Nous devons un coq à Asclèpios ; ne l'oubliez pas. »
Criton lui demanda s'il avait une dernière recommandation à faire. Il ne répondit pas. Un instant après, il
eut un sursaut. L'homme le découvrit, car il s'était voilé
la tête. Il avait les yeux fixes. Criton lui ferma la bouche
et les yeux.

Telle fut, Echécrate, la fin de notre ami, le meilleur,
le plus sage et le plus juste des hommes.

LE SUJET DU PHÉDON

Le *Phédon* est-il, comme M. Burnet le soutient dans
l'introduction de l'édition qu'il en a donnée (2e éd., 1931),
le fidèle récit de ce qui fut fait et dit le jour où Socrate
but la ciguë ? Il est très vraisemblable qu'un certain
nombre de détails relatifs aux derniers moments de Socrate
sont des détails authentiques, recueillis par Platon de la
bouche de ceux qui y avaient assisté. Il est probable
aussi que le maître s'entretint de l'immortalité avec ses
disciples. Mais comment croire que le sujet ait été traité
en un tel jour avec une telle ampleur, avec une méthode
si parfaite et une progression si habile ? Le *Phédon* n'est
pas une improvisation, mais une œuvre de longue patience
et de longue réflexion, composée par un philosophe et
un écrivain de génie. Comment, d'autre part, le Socrate
qui, dans l'*Apologie*, est si peu affirmatif sur la question
de l'immortalité, peut-il soutenir quelque temps après
que l'âme est sûrement immortelle ? Comment enfin lui
attribuer une théorie qui repose sur l'existence des Idées,
nettement affirmée par Aristote comme étant purement
platonicienne ? S'il est un ouvrage qui porte bien la
marque de Platon, c'est le *Phédon*. On peut même dire
que tout le platonicisme y est condensé.

Le sujet est en effet très complexe, bien que l'unité
en saute aux yeux. Au début, Socrate affirme deux choses, l'une, que nous sommes dans la vie placés à un poste
par la volonté des dieux, l'autre, que le philosophe doit
aspirer à quitter cette vie. Comme ces deux assertions
paraissent contradictoires à Cébès, Socrate va démontrer
que le vrai philosophe doit affronter hardiment la mort

et qu'il peut espérer une vie heureuse dans l'autre monde.
Voilà le leitmotiv qui ne sera jamais perdu de vue. Pourquoi le vrai philosophe ne craint-il pas la mort ? C'est
qu'elle le délivre du corps, qui est pour l'âme une entrave
dans la poursuite de la vérité. Mais, pour que le philosophe, délivré du corps, puisse atteindre la vérité avec
son âme seule, il faut que celle-ci soit immortelle. Et
voilà comment Socrate est amené à démontrer l'immortalité. Cette démonstration n'est faite que pour justifier
son espoir; mais elle est tellement importante en elle-même qu'elle occupe la place principale et que l'ouvrage
semble fait uniquement pour elle. La démonstration
faite, Socrate en tire les conséquences morales : les bons
seront récompensés et les méchants punis dans l'autre
monde. Et pour nous donner une idée de cet autre monde
et des séjours réservés aux âmes, il expose sous forme de
mythe sa conception des trois parties de la terre, la terre
pure et supérieure, la terre que nous habitons et la terre
souterraine. On voit comment ces trois objets, immortalité,
sanctions supraterrestres, description de la terre, se
tiennent entre eux par un lien si étroit que la complexité
des matières n'empêche pas l'unité de l'ouvrage d'éclater
aux yeux.

LA DÉMONSTRATION DE L'IMMORTALITÉ

Qu'est-ce que valent les arguments en faveur de l'immortalité ? Le premier, celui des contraires, a été vivement combattu dès l'antiquité. Les contraires ne sont-ils
pas de pures abstractions ? Existent-ils dans la réalité ?
Et, s'il existent réellement, peut-on dire qu'ils naissent
les uns des autres ? Peut-on raisonnablement soutenir
que le laid vient du beau, le beau du laid ? Quand un
homme ou une plante meurent, la semence qui donne
la vie à un autre homme ou à une autre plante est quelque
chose de vivant, non de mort. Ce qui est mort est bien
mort et ne se ressuscite pas.

L'argument de la réminiscence donnait lieu aussi à
une foule d'objections. Dans laquelle de ses vies antérieures l'âme a-t-elle puisé la connaissance de l'égalité
en soi, du bien en soi ? Pourquoi n'a-t-elle pas gardé le souvenir que de ces idées absolues et a-t-elle perdu tout le
fruit de ses expériences passées ? Celles-ci se réveillent,
dit-on, par des interrogations bien conduites, comme le
prouve dans le *Ménon* l'exemple du jeune esclave qui

retrouve la manière de doubler un carré. En réalité, c'est
Socrate qui le découvre pour lui. L'esclave n'a pas besoin
de se rappeler quoi que ce soit : les figures tracées par
Socrate lui rendent les choses évidentes ; et le premier
qui démontra le théorème le fit sans autre aide que le raisonnement appliqué au sujet. Ainsi, même en les accou-
plant l'une avec l'autre, la démonstration de l'immortalité de l'âme par les contraires et la démonstration par
la réminiscence laissent place au doute, même chez les
auditeurs de Socrate.

C'est pourquoi la discussion recommence. Cette fois
elle est poussée plus à fond et s'appuie sur la théorie
des Idées. Ici Platon déploie toutes les ressources d'une
dialectique très subtile et très serrée, et il faut reconnaître que, si l'on admet avec lui l'existence véritable
des Idées immuables et éternelles, l'âme, qui participe
d'elles, doit être impérissable comme elles. Mais si les
Idées n'existent pas en dehors de notre esprit, si elles
ne sont que des conceptions pythagoriciennes auxquelles
Platon a prêté la vie pour expliquer l'univers et donner
un fondement à la connaissance, que reste-t-il de sa
démonstration ? Et que peut-on opposer aux raisons
de ses adversaires, stoïciens et épicuriens, que Lucrèce
a recueillies et fait valoir dans le troisième livre de son
poème ? Il ne reste qu'à confesser notre impuissance
à prouver l'immortalité par des moyens humains. C'est
pourquoi, en l'admettant au nombre de ses dogmes,
le christianisme en a fait l'objet d'une révélation divine.

LA NATURE DE L'ÂME D'APRÈS PLATON

Partie de l'âme universelle, l'âme humaine est comme
elle, non seulement immortelle, mais éternelle. Platon
n'a jamais songé que l'âme pût être créée de rien, et il
n'est jamais venu à l'idée d'aucun philosophe grec que
le monde ait été tiré du néant. Une telle conception est
contraire au principe que la somme de force est constante
dans la nature. Mais il semble que Platon ait quelque
peu varié dans l'idée qu'il se fait de l'âme. Dans le *Phédon*,
l'âme est simple, μονοειδής, et cette simplicité est un des
arguments qui militent pour son immortalité. En outre,
les amours, les désirs et les craintes, qui gênent la contemplation de l'âme, sont rapportés au corps. Au contraire,
dans la *République*, qui est probablement antérieure au
Phédon, dans le *Phèdre* et dans le *Timée*, qui lui sont

postérieurs, l'âme est divisée en trois parties, une partie raisonnable, une irascible, une appétitive, et dans le *Philèbe*, 35 c, il est expressément déclaré que toutes les passions ont leur origine dans l'âme, le corps étant par lui-même incapable de donner naissance à aucune sensation. Comment concilier ces deux doctrines différentes ? Dès le temps de Speusippe et de Xénocrate, successeurs immédiats de Platon à l'Académie, certains platoniciens pensaient que les deux âmes inférieures étaient mortelles ; d'autres, au contraire, que toutes les âmes, même les âmes rudimentaires des plantes, étaient immortelles. Faut-il, pour écarter la contradiction, admettre que l'immortalité n'appartient qu'au seul λογιστικόν, à la raison ? Mais il n'y a pas un seul passage dans Platon où l'âme consiste dans le λογιστικόν seul et soit séparée des autres parties. La difficulté se résout facilement si l'on admet avec Archer Hind (*Introduction au Phédon*, p. XXXII-XXXVI) que les trois espèces d'âmes ne sont pas vraiment des espèces différentes, mais seulement trois modes de l'activité de l'âme dans différentes conditions. Les deux plus basses espèces sont des conséquences de la conjonction de l'âme avec le corps, et leur opération cesse à la séparation de l'âme et de la matière. Dans le *Philèbe*, les passions sont assignées à l'âme, qui est le seul siège de la conscience ; dans le *Phédon*, au corps, parce qu'elles naissent de la relation de l'âme avec le corps. Les passions appartiennent au corps, parce qu'elles ne pourraient naître sans l'enveloppe corporelle, à l'âme parce que c'est par l'âme seule qu'elles peuvent être senties. Ces différences qu'on remarque dans les divers ouvrages de Platon, ne viennent donc point d'une variation de doctrine, mais du point de vue où s'est placé le philosophe.

IMMORTALITÉ SUBSTANTIELLE OU PERSONNELLE

Une autre question se pose au sujet de l'immortalité de l'âme. Cette immortalité est-elle substantielle ou personnelle ? Si l'on s'en tient aux arguments donnés par Platon, ils ne prouvent que l'immortalité substantielle. Le premier, celui de l'alternance des contraires, se réduit à ceci, que, si tout doit ne pas tomber dans la mort, la somme d'essence vitale ne doit subir aucune diminution ; mais il n'y a pas là l'ombre d'une preuve que la vitalité persiste dans la même personne. Quant à l'argument de la réminiscence, le langage de Platon semble indiquer que l'âme existait individuellement avant la naissance; mais ce n'est pas du tout impliqué dans le principe de la théorie. Les vérités premières sont un bien qui appartient à l'âme en général; mais rien ne prouve, ni dans le *Phédon*, ni dans le *Phèdre*, ni dans la *République*, que les âmes ne sont pas résorbées dans l'âme universelle, où elles perdent la conscience de leur vie individuelle.

Bien que les arguments métaphysiques ne puissent porter au-delà de l'immortalité substantielle, Platon a cru à la persistance de la personnalité de l'âme séparée du corps. Ce qui le prouve, ce sont les sanctions qui attendent l'âme dans l'autre monde et qui n'auraient pas de sens, si l'âme ne gardait pas le souvenir de sa conduite pendant la vie.

LA MORALE DANS LE PHÉDON

Ces sanctions ont un caractère fort original. Ce ne sont pas des punitions conçues comme une revanche ou une vengeance de la loi outragée. Ce sont des sanctions qui s'imposent d'elles-mêmes d'une manière infaillible. Elles consistent pour les justes dans un perfectionnement de l'âme qui les assimile aux dieux avec lesquels ils vont vivre, et pour les méchants dans une dégradation morale et intellectuelle qui les ravale jusqu'aux bêtes les plus méprisables. Et comme l'âme est éternelle, ces sanctions se poursuivent d'une vie à l'autre. C'est ainsi que le sort d'un individu est conditionné par ses existences antérieures et qu'un péché originel dont il n'a plus conscience peut expliquer son état présent, et que tout ce qu'il fait dans la vie actuelle influence ses destinées futures.

L'effet de la punition est d'améliorer les âmes. Elles peuvent en effet se racheter par la souffrance et remonter, d'une vie à l'autre, à un état plus parfait. Seules, les âmes jugées inguérissables sont condamnées à un supplice éternel dans le Tartare. Cet enfer éternel, qui révolte notre conscience, et qui est sans doute d'origine orphique, paraît tout naturel à Platon. On le trouve dans les mythes eschatologiques du *Gorgias* et de la *République* comme dans celui du *Phédon*.

La morale de Platon, telle qu'elle est exposée dans le *Phédon*, est une morale ascétique, faite pour des âmes d'élite. Sans doute il ne méconnaît pas le mérite d'une

vie honnête et sage pratiquée par de braves gens étrangers à la philosophie, et il leur assigne une place dans
son paradis, c'est-à-dire dans la terre pure. Mais la
meilleure place est pour les philosophes qui ont toute
leur vie répudié les plaisirs du corps pour se livrer à la
poursuite de la vérité avec l'âme seule. La vie de tels
hommes n'est qu'une préparation à la mort, qui les déli-
vrera des distractions du corps et leur permettra d'atteindre aux vérités éternelles. C'est en cela qu'est le
bonheur suprême, Platon l'a démontré dans la *République*
(585 b sqq.), en cela aussi que consiste la vertu, puisque
science et vertu se confondent d'après la doctrine socratique, à laquelle Platon est demeuré fidèle jusqu'à la
fin. Mais une telle vertu est peu accessible au vulgaire.
C'est le partage des seuls philosophes. *Humanum genus
vivit paucis.*

LA BEAUTÉ DU PHÉDON

Le *Phédon* est d'abord intéressant par le sujet. Si
misérable que soit sa condition, l'homme ne se résigne
pas à la mort. La pensée qu'il ne sera plus rien lui est
insupportable. Il aspire de toutes ses forces à l'immortalité. Platon a montré dans le *Banquet* que l'amour
n'est autre chose que le désir de se perpétuer. Mais se
perpétuer dans ses enfants ne suffit pas à l'homme. Il
désire se survivre lui-même, en gardant sa personnalité.
Du désir à l'espérance le pas est facile à franchir. Le
difficile est de fonder cette espérance sur des preuves
irréfutables. Platon a osé l'entreprendre. Il y a déployé
toutes les ressources du génie le plus métaphysique qui
fut jamais, et, s'il n'a pas réussi à convaincre les esprits
positifs, son œuvre n'en reste pas moins le plus puissant
effort qu'ait fait le génie humain pour nous ôter la crainte
du néant et nous inspirer l'espoir de l'immortalité.

Intéressant par le sujet, le *Phédon* l'est davantage
encore par la composition, où les péripéties d'un triple
drame nous tiennent sans cesse en haleine. Le premier
de ces drames consiste dans l'argumentation même, qui
est, comme il arrive souvent chez Platon, personnifiée
sous le nom de λόγος. Toute la compagnie réunie autour
de Socrate le suit avec une ardente curiosité. Quand les
preuves par la génération des contraires, par la réminiscence, par la simplicité de l'âme lui ont donné, semble-t-il,
une base assurée, tout le monde est satisfait. Mais
Simmias et Cébès le font chanceler sur cette base, et tous

les auditeurs tremblent pour lui. Échécrate lui-même interrompt Phédon, pour exprimer son désappointement et son impatience d'apprendre si Socrate est parvenu à le maintenir debout. Socrate ne se presse pas de calmer l'inquiétude qui règne autour de lui. Il s'adresse d'abord à Phédon pour rétablir la confiance dans l'argumentation. Il résume ensuite avec force les arguments des deux Thébains et il renverse ceux de Simmias avec tant d'aisance que Cébès lui-même en est émerveillé et attend pour les siens la même défaite.

A ce drame métaphysique se mêle un drame purement humain. Socrate oppose à la mort un front serein, parce qu'il a confiance de trouver dans l'autre monde des dieux bons et sages et des hommes meilleurs que ceux d'ici-bas. Aussi, toutes les fois que l'argument est en danger, c'est l'espoir de Socrate qui chancelle, et ses amis s'affligent pour lui. Les deux Thébains eux-mêmes n'osent pas d'abord exposer leurs objections, de peur de contrister Socrate. Mais il les encourage, les loue et fait par son calme et sa bonne grâce l'admiration de ceux qui l'écoutent.

Enfin, à ces discussions, si importantes pour tous les hommes et pour Socrate en particulier, se mêle un troisième drame, qui est le récit du dernier jour du philosophe. Tandis que ses amis s'affligent et gémissent, Socrate garde un calme et une sérénité admirables; il leur fait honte de leur peu de fermeté. Il raille doucement Criton, qui ne veut pas croire que le véritable Socrate ne sera plus là après sa mort. Il loue le bon cœur du geôlier et accueille avec sérénité l'homme qui apporte la ciguë. Jamais récit plus simple ne fut plus impressionnant que celui des derniers moments de Socrate.

LE MYTHE DU PHÉDON

A l'intérêt dramatique le *Phédon* ajoute l'attrait d'un conte fantastique où la grande imagination du poète qu'est Platon s'est donné carrière. Homère avait décrit dans le onzième chant de l'*Odyssée* le séjour des morts. A l'imitation de la Νεκυία d'Homère, Platon l'a décrit à son tour, en conformité avec les idées nouvelles qu'on s'en faisait de son temps et qu'il s'en faisait lui-même. Ces idées échappant à l'argumentation philosophique, il les a exposées sous forme de mythes en trois ouvrages, le *Gorgias*, la *République* et le *Phédon*. Dans le *Gorgias*,

nous voyons comment et par qui les âmes sont jugées ;
dans la *République*, comment elles sont récompensées
et punies et quelle est la structure de l'univers où ces
âmes voyagent ; dans le *Phédon*, il s'agit surtout des
séjours assignés aux justes et aux méchants et, à cette
occasion, de la structure de la terre. Dans la *République*,
les âmes, après la mort, se rendent dans un endroit
merveilleux, où il y a dans la terre deux ouvertures
attenant l'une à l'autre, et dans le ciel, en haut, deux
autres qui leur font face. Les justes prennent à droite
la route qui monte dans le ciel, et les criminels, à gauche,
la route descendante. Par les deux autres les âmes qui
ont accompli leur temps reviennent pour revivre sur la
terre. Dans le *Phédon*, la description est restreinte à
la terre, divisée en trois compartiments, en haut la terre
pure, qui est le paradis, au milieu la surface de la terre
que nous habitons, et sous la terre, les lacs et les grands
fleuves où s'embarquent les âmes coupables et par où
elles reviennent au monde, quand elles ont expié leurs
fautes. Dans les deux ouvrages, Platon a lié ses idées
sur les sanctions morales à une vue générale, dans l'un,
de l'univers, dans l'autre, de la terre. Les détails diffèrent :
la cause en est dans la différence des points de vue.
Ceux que donne le *Phédon* sur l'intérieur de la terre,
complètent la description des voyages des âmes décrits
dans la *République*. Mais les deux mythes sont dignes
l'un de l'autre par la grandeur des spectacles, par l'ori-
ginalité des vues, par le pittoresque des descriptions
et par la beauté du style.

LES PERSONNAGES

En aucun autre dialogue, la figure de Socrate n'appa-
raît plus belle que dans le *Phédon*. C'est toujours le même
Socrate qui a consacré sa vie à la philosophie, qui s'est
mis tout entier au service du dieu de Delphes et qui a
sacrifié tous ses intérêts à l'amélioration de ses concitoyens. Mais jamais il n'a paru si élevé au-dessus de la
commune humanité que le jour de sa mort. Il s'entretient
dans sa prison avec ses amis avec la même liberté d'esprit
qu'avant sa condamnation. Son calme et sa sérénité ne
se démentent pas un instant. Il n'a rien perdu de sa bonne
grâce ni de sa bonne humeur. Il joue avec les cheveux
de Phédon et plaisante sur la nécessité où celui-ci va se
trouver de les couper. Il raille doucement Criton, qui

s'inquiète de sa sépulture. Il reste calme et ferme, tandis que tout pleure autour de lui. Puis il boit le poison avec une sérénité parfaite, et il est si peu troublé par l'approche de la mort qu'il recommande à Criton de sacrifier un coq à Asclèpios. Enfin il part pour l'autre monde, plein de confiance et d'espoir, laissant à ses disciples le souvenir d'une vie exemplaire et d'une mort admirable.

Parmi tous ceux qui l'assistèrent à son dernier jour, cinq seulement prennent part à l'entretien : Phédon, Simmias et Cébès, Criton et un inconnu, dont Phédon a oublié le nom.

Si l'on en croit Diogène Laërce (II, 105), Phédon d'Élis aurait été fait prisonnier dans la guerre que Sparte et Athènes firent à sa patrie en 401. Amené comme esclave à Athènes, il fut, au dire d'Aulu-Gelle (II, 18), racheté par Cébès, et nous le trouvons dès 399 membre du cercle socratique. Il semble avoir été un disciple fort estimé du maître, pour lequel il professe de son côté une grande admiration et une profonde affection. Après la mort de Socrate, il retourna dans son pays, où il fonda l'école d'Élis, qui fut transportée dans la suite à Érétrie par Ménédème. Si l'on en juge par l'école de Mégare, avec laquelle la sienne est souvent citée, il dut s'occuper particulièrement de logique. Il avait composé des dialogues, entre autres un *Zopyre* et un *Simon*, les deux seuls que Diogène Laërce tient pour authentiques.

Simmias et Cébès, tous deux Thébains, sont les deux principaux interlocuteurs de Socrate. Après avoir suivi dans leur patrie les leçons du pythagoricien Philolaos, ils étaient venus à Athènes suivre celles de Socrate. C'étaient deux jeunes gens de famille riche ; car ils avaient apporté de grosses sommes pour faire évader Socrate (*Criton*, 45 b).

Simmias est mentionné dans le *Phèdre* (242 b). Diogène Laërce (II, 124) rapporte qu'on lui attribue vingt-trois dialogues : c'est tout ce qu'il dit de lui.

Nous n'en savons pas plus sur Cébès. Xénophon le mentionne deux fois dans les *Mémorables* (I, 2, 48, et III, 11, 17), mais sans rien ajouter à ce que nous savons. Diogène Laërce dit qu'on lui attribue trois dialogues : le *Tableau*, la *Septième* et le *Phrynichos*. Nous avons encore le soi-disant *Tableau de Cébès* : c'est en réalité un écrit qui date des environs de l'ère chrétienne. Platon n'a peint de Simmias et de Cébès que leur esprit, non leur humeur et les particularités de leur caractère. Ils sont tous deux intelligents et ardents à la discussion, mais Simmias n'a pas l'esprit aussi net que son camarade. Il ne s'aperçoit pas qu'il y a contradiction entre sa croyance à la préexistence de l'âme et sa théorie de l'âme harmonie et il avoue qu'il a manqué d'attention. Cébès est plus alerte ; il voit tout de suite le point faible d'une argumentation et ne se déclare satisfait que quand l'argument est sans réplique. C'est lui qui fait les objections topiques et qui influe le plus sur la marche de la discussion.

Quant à Criton, il nous est déjà connu par le dialogue qui porte son nom. C'était un ami d'enfance de Socrate. Riche et considéré, Criton était plutôt un homme du monde qu'un philosophe. Dans les relations qu'il a avec Socrate, c'est des intérêts matériels, du bien-être de son ami qu'il s'occupe. Il ne prend aucune part à la discussion et, quand il intervient, c'est pour avertir Socrate de ne pas s'échauffer à parler, pour recueillir ses dernières recommandations, ou pour accomplir quelque commission que son ami lui confie. Ce n'est pas qu'il ne soit assez intelligent pour suivre la discussion. Il déclare lui-même dans l'*Euthydème* (304 b) qu'il prend plaisir à entendre discuter et qu'il est heureux de s'instruire, et il sait blâmer Socrate de disputer avec des gens comme Euthydème. Il est visible cependant que ce que Socrate apprécie le plus en lui, ce n'est pas le philosophe, c'est l'ami tendre et fidèle qui n'a jamais cessé de lui donner des marques de son attachement.

On aimerait savoir aussi quel est cet Échécrate à qui Phédon fait son récit. Diogène Laërce (VIII, 46) le mentionne avec ses compatriotes phliasiens Phanton, Dioclès et Polymnastos et le Chalcidien Xénophilos, comme étant les derniers pythagoriciens. C'étaient, dit-il, des élèves de Philolaos et d'Eurrytos, et ils étaient encore vivants au temps d'Aristoxène, le musicien et péripatéticien, qui fut un contemporain de Théophraste. C'est à titre de pythagoricien qu'il s'intéresse à la théorie des Idées, qui ressemblait, dit Aristote, à la théorie des nombres de l'école pythagoricienne.

LA DATE DU DIALOGUE

A quelle date le dialogue rapporté dans le *Phédon* est-il censé avoir eu lieu ? On sait à Phliunte que Socrate a été condamné et qu'il a bu la ciguë ; mais on ignore encore les circonstances de sa mort, parce qu'aucun Phliasien ne s'est rendu à Athènes depuis ce temps et qu'aucun étranger n'est venu d'Athènes à Phliunte. Ces détails donnés par Échécrate laissent voir qu'il n'a pas dû s'écouler beaucoup de temps entre la mort de Socrate et le passage de Phédon à Phliunte. Aucune autre indication ne permet de préciser davantage.

LA DATE DE LA COMPOSITION

La date de la composition a été très discutée. Mais on est à peu près unanime aujourd'hui pour placer le *Phédon* dans le deuxième groupe des ouvrages platoniciens. On sait que le premier groupe comprend ce qu'on appelle les dialogues socratiques, où Platon cherche à définir les notions philosophiques à la manière de son maître ; ces dialogues vont du *Second Alcibiade* au *Gorgias* et au *Ménéxène*. Le deuxième groupe embrasse les ouvrages où Platon développe ses propres idées, notamment la théorie des Idées : ce sont le *Ménon*, le *Cratyle*, le *Banquet*, la *République*, le *Phédon*, le *Phèdre*. Le troisième se compose des ouvrages métaphysiques, qui vont du *Théétète* et du *Parménide* au *Timée* et au *Critias*, auxquels on ajoute les *Lois*. Le *Phédon* est un ouvrage du deuxième groupe. On le place généralement avant la *République*. Il me semble qu'il faut le placer après. En voici une raison qui me semble péremptoire. Au dixième livre de la *République* (608 d), Socrate, parlant des peines et des récompenses qui attendent l'homme après la mort, dit à Glaucon : « N'as-tu pas fait attention que notre âme est immortelle et qu'elle ne périt jamais ? » À ces mots, dit Socrate, Glaucon me regarda d'un air étonné et dit : « Non, par Zeus ; mais toi, pourrais-tu le démontrer ? — Oui, repartis-je, si je ne m'abuse, et je suis persuadé que tu le pourrais aussi : il n'y a rien là que de facile. — Pas pour moi, répliqua-t-il ; mais j'aurais plaisir à t'entendre faire cette démonstration facile. » En bonne foi, Glaucon, le frère de Platon, aurait-il pu manifester un tel étonnement, en entendant affirmer que l'âme est immortelle, si le *Phédon* avait été écrit avant la *République* ?

On lit d'autre part dans le *Phédon* (100 a) que la théorie des Idées est depuis longtemps enseignée à l'Académie. Après avoir expliqué la méthode nouvelle qu'il a inaugurée pour découvrir la vraie cause des choses, ayant peur de n'avoir pas été compris par Cébès, Socrate ajoute : « Il n'y a dans ce que je dis rien de neuf : c'est ce que je n'ai jamais cessé de dire et en d'autres occasions, et tantôt dans cet entretien. Je vais essayer de te montrer la nature de la cause que j'ai étudiée, en revenant à ces Idées que j'ai déjà tant rebattues. » N'y a-t-il pas dans cette expression « ces idées tant rebattues » une preuve qui corrobore la précédente ?

On peut en voir une autre dans l'orientation de la pensée de Platon vers les mathématiques et la théorie des nombres. Dans le septième livre de la *République*, Platon a démontré l'utilité des mathématiques dans l'éducation du dialecticien. Il en donne un exemple frappant dans le *Phédon* en fondant sur l'idée et le nombre pair et impair la démonstration de l'immortalité de l'âme. Si l'exemple vient après la théorie, il y a encore ici une forte présomption que le *Phédon* est venu après la *République*.

PHÉDON

[ou **De l'âme**; *genre moral*]

PERSONNAGES

ÉCHÉCRATE, PHÉDON, APOLLODORE, SOCRATE, CÉBÈS, SIMMIAS, CRITON, LE SERVITEUR DES ONZE.

ÉCHÉCRATE

I. — Étais-tu toi-même, Phédon, aux côtés de Socrate le jour où il but le poison dans sa prison, ou est-ce un autre qui t'a renseigné ?

PHÉDON

J'y étais moi-même, Échécrate.

ÉCHÉCRATE

Eh bien, que dit-il, à ses derniers moments, et comment mourut-il ? J'aurais plaisir à l'entendre. Car, parmi les citoyens de Phliunte, il n'y en a pas un seul à présent qui se rende à Athènes et depuis longtemps il n'est venu de là-bas aucun étranger à même de nous donner des nouvelles sûres à ce sujet, sauf qu'il est mort après avoir bu le poison. Pour le reste, on ne nous a rien appris.

PHÉDON

Pour le procès non plus, vous n'avez donc pas su comment il s'était passé ?

ÉCHÉCRATE

Si fait ; cela, on nous l'a rapporté, et nous avons été surpris de voir que, le procès fini, il soit mort si longtemps après. Qu'y a-t-il donc eu, Phédon ?

PHÉDON

C'est un hasard, Échécrate, qui en a été la cause.
Il s'est trouvé que la veille du jugement, on avait couronné la poupe du vaisseau que les Athéniens envoient
à Dèlos.

ÉCHÉCRATE

Qu'est-ce donc que ce vaisseau ?

PHÉDON

C'est, au dire des Athéniens, le vaisseau sur lequel
Thésée partit autrefois, emmenant en Crète les sept
garçons et les sept jeunes filles qu'il sauva en se sauvant
lui-même. On raconte que les Athéniens avaient fait
vœu à Apollon, si ces jeunes gens étaient sauvés, de
députer chaque année à Dèlos une théorie [44]. C'est justement cette théorie qu'ils ont toujours envoyée depuis
lors, et qu'ils envoient encore aujourd'hui chaque année
au dieu. Or dès que le pèlerinage commence, il y a chez
eux une loi qui veut que la ville soit pure pendant ce
temps et que le bourreau n'exécute personne avant que
le navire parte pour Dèlos et soit revenu à Athènes. Or
ceci demande parfois beaucoup de temps, quand il arrive
que les vents arrêtent la navigation. La théorie commence
lorsque le prêtre d'Apollon a couronné la poupe du
vaisseau, ce qui eut lieu, je le répète, la veille du procès.
Voilà pourquoi Socrate resta longtemps dans sa prison
entre son procès et sa mort.

ÉCHÉCRATE

II. — Et maintenant, Phédon, que se passa-t-il à sa
mort ? Qu'est-ce qui fut dit et fait ? Quels furent ceux de
ses amis qui se trouvèrent à ses côtés ? Ou bien les
autorités les empêchèrent-ils d'assister à sa fin et mourut-il seul et sans amis ?

PHÉDON

Non, il y en eut qui l'assistèrent, et même beaucoup.

ÉCHÉCRATE

Tâche donc de nous rapporter tout cela aussi exactement que possible, si tu n'as pas d'autre affaire.

PHÉDON

Non, je suis de loisir, et je vais essayer de vous le rapporter tout au long; car je n'ai jamais tant de plaisir au

monde qu'à évoquer le souvenir de Socrate, soit en en parlant moi-même, soit en écoutant un autre en parler.

ÉCHÉCRATE

Eh bien, sois sûr, Phédon, que ceux qui vont t'écouter
sont dans les mêmes dispositions que toi. Essaye maintenant de nous faire un récit détaillé et aussi exact que tu
pourras.

PHÉDON

En ce qui me concerne, les sentiments que sa présence
éveillait en moi étaient vraiment extraordinaires. J'avais
beau penser que j'assistais à la mort d'un ami, je ne ressentais pas de pitié; car il me semblait heureux, Echécrate,
à en juger par sa manière d'être et ses discours, tant il
montrait d'intrépidité et de bravoure devant la mort, si
bien que je me prenais à penser que, même en allant
chez Hadès, il y allait avec la faveur des dieux et qu'arrivé
là-bas, il y serait heureux autant qu'on peut l'être.
Voilà pourquoi je ne me sentais pas du tout ému, comme
il est naturel qu'on le soit, quand on assiste à une scène
de deuil. Je ne ressentais pas non plus le plaisir d'assister à un entretien philosophique comme ceux dont
nous avions l'habitude; car c'est de philosophie que nous
parlions. Mais j'étais dans un état d'esprit véritablement étrange, et j'éprouvais un mélange inouï de plaisir
et de peine, à la pensée qu'il allait mourir dans un instant.
Et tous ceux qui étaient présents étaient à peu près
dans les mêmes dispositions que moi, tantôt riant, tantôt
pleurant, et particulièrement l'un de nous, Apollodore [45].
Tu connais l'homme, n'est-ce pas, et son humeur ?

ÉCHÉCRATE

Bien sûr.

PHÉDON

Eh bien, Apollodore s'abandonnait sans contrainte à
ce double sentiment, et j'étais moi-même agité, ainsi que
les autres.

ÉCHÉCRATE

Mais quels étaient, Phédon, ceux qui se trouvaient là ?

PHÉDON

Des gens du pays, il y avait cet Apollodore, puis Critobule [46] et son père Criton, et avec eux Hermogène [47],
Épigène [48], Eschine [49] et Antisthène [50]. Il y avait encore

Ctèsippe de Paeanie [51], Ménexène [52] et quelques autres
du pays. Platon, je crois, était malade.

ÉCHÉCRATE

Y avait-il des étrangers ?

PHÉDON

Oui, Simmias de Thèbes avec Cébès et Phaidondès [53];
puis de Mégare, Euclide [54] et Terpsion [55].

ÉCHÉCRATE

Et Aristippe [56] et Cléombrote [57] y étaient-ils ?

PHÉDON

Non pas ; on disait qu'ils étaient à Égine.

ÉCHÉCRATE

N'y en avait-il pas d'autre ?

PHÉDON

Voilà, je crois, à peu près ceux qui étaient présents.

ÉCHÉCRATE

Et maintenant, sur quoi dis-tu que roula l'entretien.

PHÉDON

III. — Je vais prendre les choses dès le début et tâcher
de t'en faire un récit fidèle. Même avant ce jour-là,
nous ne manquions jamais, moi et les autres, d'aller
voir Socrate. Nous nous rassemblions le matin au tribunal où avait eu lieu le procès, car il était près de la prison. Nous attendions chaque matin qu'on ouvrît la prison, en conversant entre nous ; car on ne l'ouvrait pas
de bonne heure. Quand elle s'ouvrait, nous entrions
chez Socrate et nous passions généralement tout le
jour avec lui. Or, ce jour-là, nous nous réunîmes de plus
grand matin, car la veille, au soir, en sortant de la prison, nous avions appris que le vaisseau était arrivé
de Dèlos. Aussi nous nous étions donné le mot pour nous
trouver d'aussi bon matin que possible à notre rendez-
vous. Nous étions là, lorsque le portier qui avait l'habitude de répondre à notre appel sortit pour nous dire
d'attendre et de ne pas entrer qu'il ne nous eût appelés
lui-même ; « car les Onze, dit-il, font ôter ses fers à
Socrate et donnent des ordres pour qu'il meure aujour-

d'hui. » Il ne resta d'ailleurs pas longtemps sans revenir et il nous dit d'entrer.

En entrant, nous trouvâmes Socrate qu'on venait de délier et Xanthippe, que tu connais, assise à côté de lui, avec leur jeune enfant dans les bras. Dès qu'elle nous aperçut, Xanthippe [58] se mit à pousser des cris et à proférer des plaintes, comme les femmes ont coutume d'en faire. « Ah! Socrate, dit-elle, c'est aujourd'hui la dernière fois que tes amis te parleront et que tu leur parleras. » Alors Socrate, tournant les yeux vers Criton : « Criton, dit-il, qu'on l'emmène à la maison. » Et des gens de Criton l'emmenèrent poussant des cris et se frappant la poitrine.

Quant à Socrate, il se mit sur son séant dans son lit, puis, repliant sa jambe, il se la frotta avec sa main et, tout en frottant, nous dit : « Quelle chose étrange, mes amis, paraît être ce qu'on appelle le plaisir! et quel singulier rapport il a naturellement avec ce qui passe pour être son contraire, la douleur! Ils refusent de se rencontrer ensemble chez l'homme; mais qu'on poursuive l'un et qu'on l'attrape, on est presque toujours contraint d'attraper l'autre aussi, comme si, en dépit de leur dualité, ils étaient attachés à une seule tête. Je crois, poursuivit-il, que si Ésope avait remarqué cela, il en aurait composé une fable, où il aurait dit que Dieu, voulant réconcilier ces deux ennemis et n'y pouvant réussir, leur attacha la tête au même point, et que c'est la raison pour laquelle, là où l'un se présente, l'autre y vient à sa suite. C'est, je crois, ce qui m'arrive à moi aussi, puisqu'après la douleur que la chaîne me causait à la jambe, je sens venir le plaisir qui la suit. »

IV. — Alors Cébès prenant la parole : « Par Zeus, Socrate, dit-il, il est heureux que tu m'en aies fait souvenir; car, à propos des poésies que tu as composées en mettant en musique les fables d'Ésope et un prélude [59] pour Apollon, plusieurs personnes m'ont déjà demandé, et l'autre jour encore Évènos [60], quelle idée tu as eue, depuis que tu es ici, de composer des vers, toi qui jusquelà n'en avais point fait de ta vie. Si donc tu tiens à ce que je puisse répondre à Évènos, quand il me posera de nouveau la question, car je suis sûr qu'il n'y manquera pas, apprends-moi ce qu'il faut que je lui dise.

— Eh bien, Cébès, répondit Socrate, dis-lui la vérité, que ce n'est pas dans le dessein de rivaliser avec lui ni avec

ses poèmes que j'ai composé les miens, car je savais bien
que ce n'était pas chose aisée, mais que c'était pour éprouver le sens de certains songes et que, pour acquitter ma
conscience, je voulais m'assurer si c'était bien ce genre
de musique qu'ils me prescrivaient de cultiver. Voici en
effet de quoi il s'agissait. Souvent, dans ma vie passée,
j'ai eu la visite du même songe; il apparaissait tantôt sous
une forme, tantôt sous une autre, mais il me disait toujours
la même chose : « Socrate, fais œuvre de poète et cultive
la musique. » Et moi, jusqu'ici, je croyais que c'était précisément ce que je faisais qu'il m'encourageait et m'excitait à pratiquer, et que, comme on encourage les cou-
reurs, le songe m'excitait, moi aussi, à poursuivre mon
occupation, à pratiquer la musique; car, pour moi, la
philosophie est la musique la plus haute, et c'est à elle
que je m'appliquais. Mais à présent que mon procès a eu
lieu et que la fête du dieu a fait surseoir ma mort, j'ai
cru que je devais, si peut-être le songe me prescrivait de
me livrer à la musique ordinaire, ne pas lui désobéir et m'y
appliquer; car il est plus sûr de ne pas partir avant
d'avoir déchargé ma conscience en composant des
poèmes pour obéir au songe. C'est ainsi que j'ai d'abord
fait œuvre de poète en l'honneur du dieu dont on célébrait
la fête. Après cela, je pensai qu'un poète qui veut l'être
réellement devait composer des fictions et non des discours, et comme je ne me sentais pas ce talent, je pris les
fictions qui étaient à ma portée et que je savais par
cœur, celles d'Ésope, et je mis en vers les premières qui
me vinrent à la mémoire.

V. — Voilà, Cébès, l'explication que je te charge de
donner à Évènos, avec mes salutations, en ajoutant que,
s'il est sage, il me suive le plus vite possible. Car je m'en
vais, paraît-il, aujourd'hui : c'est l'ordre des Athéniens. »
Simmias se récria : « Quelle recommandation, Socrate,
fais-tu là à Évènos! J'ai souvent rencontré le personnage,
et il est à peu près sûr, d'après ce que je sais de lui, qu'il
ne mettra aucune bonne volonté à t'écouter.

— Hé quoi! repartit Socrate, n'est-il pas philosophe,
ton Évènos ?

— Je crois qu'il l'est, dit Simmias.

— Alors il y consentira, lui et tout homme qui participe à la philosophie comme il convient. Seulement il ne se
fera sans doute pas violence à lui-même; car on dit que
cela n'est pas permis. »

Tout en disant cela, il s'assit, les jambes pendantes vers le sol, et garda cette posture pendant tout le reste de l'entretien.

Alors Cébès lui posa cette question : « Comment peux-tu dire, Socrate, qu'il n'est pas permis de se faire violence à soi-même et d'autre part que le philosophe est disposé à suivre celui qui meurt ?

— Hé quoi! Cébès, n'avez-vous pas entendu, Simmias et toi, traiter de ces questions, vous qui avez vécu avec Philolaos [61] ?

— Si, mais sans aucune précision, Socrate.

— Moi aussi, je n'en parle que par ouï dire ; néanmoins, ce que j'ai ainsi appris, rien n'empêche que je vous en fasse part. Peut-être même est-il on ne peut plus à propos, au moment de quitter cette vie, d'enquêter sur ce voyage dans l'autre monde et de conter dans un mythe ce que nous croyons qu'il est. Comment mieux occuper le temps qui nous sépare du coucher du soleil ?

VI. — Dis-nous donc, Socrate, sur quoi l'on peut bien se fonder, quand on prétend que le suicide n'est pas permis. Pour ma part, pour en revenir à ta question de tout à l'heure, j'ai déjà entendu dire à Philolaos, quand il séjournait parmi nous, et à plusieurs autres aussi, qu'on n'a pas le droit de se tuer. Mais de précisions sur ce point, personne ne m'en a jamais donné aucune.

— Il ne faut pas te décourager, reprit Socrate, il se peut que l'on t'en donne. Mais peut-être te paraîtra-t-il étonnant que cette question seule entre toutes ne comporte qu'une solution et ne soit jamais laissée à la décision de l'homme, comme le sont les autres. Étant donné qu'il y a des gens pour qui, en certaines circonstances, la mort est préférable à la vie, il te paraît peut-être étonnant que ceux pour qui la mort est préférable ne puissent sans impiété se rendre à eux-mêmes ce bon office et qu'ils doivent attendre un bienfaiteur étranger. »

Alors Cébès, souriant doucement : « Que Zeus s'y reconnaisse [62], » dit-il dans le parler de son pays.

— « Cette opinion, ainsi présentée, peut paraître déraisonnable, reprit Socrate ; elle n'est pourtant pas sans raison. La doctrine qu'on enseigne en secret [63] sur cette matière, que nous autres hommes nous sommes comme dans un poste, d'où l'on n'a pas le droit de s'échapper ni de s'enfuir, me paraît trop relevée et difficile à élucider ; mais on y trouve au moins une chose qui est bien dite,

c'est que ce sont des dieux qui s'occupent de nous et que,
nous autres hommes, nous sommes un des biens qui appartiennent aux dieux. Ne crois-tu pas que cela soit vrai ?

— Je le crois, dit Cébès.

— Toi-même, reprit Socrate, si l'un des êtres qui sont
à toi se tuait lui-même, sans que tu lui eusses notifié que
tu voulais qu'il mourût, ne lui en voudrais-tu pas, et ne
le punirais-tu pas, si tu avais quelque moyen de le faire ?

— Certainement si, dit Cébès.

— Si l'on se place à ce point de vue, peut-être n'est-il
pas déraisonnable de dire qu'il ne faut pas se tuer avant
que Dieu nous en impose la nécessité, comme il le fait
aujourd'hui pour moi.

VII. — Ceci du moins, dit Cébès, me paraît plausible.
Mais ce que tu disais tout à l'heure, que les philosophes
se résigneraient facilement à mourir, cela, Socrate,
semble bien étrange, s'il est vrai, comme nous venons de
le reconnaître, que c'est Dieu qui prend soin de nous
et que nous sommes ses biens. Car que les hommes les
plus sages quittent de gaieté de cœur ce service où ils sont
sous la surveillance des meilleurs maîtres qui soient au
monde, les dieux, c'est un acte dépourvu de raison, vu
qu'ils n'espèrent pas, n'est-ce pas, se gouverner eux-mêmes
mieux que les dieux, une fois qu'ils seront devenus
libres. Sans doute un fou peut s'imaginer qu'il faut s'enfuir de chez son maître, sans réfléchir qu'il ne faut pas
s'évader de chez un bon maître, mais, au contraire, autant
que possible, rester près de lui : il s'enfuirait ainsi sans
raison. Mais un homme sensé désirera toujours, j'imagine,
rester auprès de celui qui est meilleur que lui. À ce
compte, Socrate, c'est le contraire de ce que nous disions
tout à l'heure qui est vraisemblable : c'est aux sages
qu'il sied de se chagriner, quand vient la mort, aux insen-
sés de s'en réjouir. »

Socrate, à ce qu'il me sembla, avait pris plaisir à
entendre Cébès et à le voir si alerte d'esprit. Il tourna les
yeux vers nous et dit : « Cébès est toujours en quête
d'arguments, et il n'a garde d'admettre tout de suite ce
qu'on lui dit.

— Eh mais, dit Simmias, je suis d'avis, moi aussi,
Socrate, que, pour cette fois, le raisonnement de Cébès
ne manque pas de justesse ; car dans quel but des hommes
vraiment sages fuiraient-ils des maîtres qui valent mieux
qu'eux et s'en sépareraient-ils le cœur léger ? Et je suis

d'avis aussi que le discours de Cébès te visait, toi qui
te résignes si aisément à nous quitter, nous et les dieux,
qui sont, tu en conviens toi-même, d'excellents maîtres.

— Vous avez raison, dit Socrate, car je pense que vous
voulez dire que je dois répondre à ces objections et plaider ma cause comme devant un tribunal.

— C'est cela même, dit Simmias.

VIII. — Eh bien, allons, dit-il, essayons de nous
défendre et de vous persuader mieux que je n'ai fait mes
juges. Assurément, Simmias et Cébès, poursuivit-il,
si je ne croyais pas trouver dans l'autre monde, d'abord
d'autres dieux sages et bons, puis des hommes meilleurs
que ceux d'ici, j'aurais tort de n'être pas fâché de mourir. Mais soyez sûrs que j'espère aller chez des hommes
de bien; ceci, je ne l'affirme pas positivement; mais
pour ce qui est d'y trouver des dieux qui sont d'excellents maîtres, sachez que, si l'on peut affirmer des choses
de cette nature, je puis affirmer celle-ci positivement.
Et voilà pourquoi je ne suis pas si fâché de mourir,
pourquoi, au contraire, j'ai le ferme espoir qu'il y a quelque
chose après la mort, quelque chose qui, d'après les
vieilles croyances, est beaucoup meilleur pour les bons
que pour les méchants.

— Quoi donc, Socrate, dit Simmias, as-tu en tête
de partir en gardant cette pensée pour toi seul ? Ne
veux-tu pas nous en faire part ? Il me semble que c'est
un bien qui nous est commun à nous aussi, et du même
coup, si tu nous convaincs de ce que tu dis, ta défense
sera faite.

— Eh bien, je vais essayer, dit-il. Mais auparavant
voyons ce que Criton semble vouloir me dire depuis
un moment.

— Ce que je veux dire, Socrate, dit Criton, c'est tout
simplement ce que me répète depuis un bon moment
celui qui doit te donner le poison, de t'avertir qu'il faut
causer le moins possible. Il prétend qu'on s'échauffe
trop à causer et qu'il faut se garder de cela quand
on prend le poison; qu'autrement on est parfois forcé
d'en prendre deux ou trois potions, si l'on s'échauffe ainsi.

— Laisse-le dire, répondit Socrate; il n'a qu'à préparer
sa drogue de manière à pouvoir m'en donner deux fois
et même trois fois, s'il le faut.

— Je me doutais bien de ta réponse, dit Criton; mais
il n'a pas cessé de me tracasser.

— Laisse-le dire, répéta Socrate. Mais il est temps que je vous rende compte, à vous qui êtes mes juges, des motifs qui me font croire qu'un homme qui a réellement passé sa vie à philosopher a raison d'avoir confiance au moment de mourir et d'espérer qu'il aura là-bas des biens infinis, dès qu'il aura terminé sa vie. Comment cela peut se réaliser, Simmias et Cébès, c'est ce que je vais essayer de vous expliquer.

IX. — Il semble bien que le vulgaire ne se doute pas qu'en s'occupant de philosophie comme il convient, on ne fait pas autre chose que de rechercher la mort et l'état qui la suit. S'il en est ainsi, tu reconnaîtras qu'il serait absurde de ne poursuivre durant toute sa vie d'autre but que celui-là et, quand la mort se présente, de se rebeller contre une chose qu'on poursuivait et pratiquait depuis longtemps. »

Sur quoi Simmias s'étant mis à rire : « Par Zeus, Socrate, dit-il, tu m'as fait rire, malgré le peu d'envie que j'en avais tout à l'heure. C'est que je suis persuadé que la plupart des gens, s'ils t'entendaient, croiraient que tu as parfaitement raison de parler ainsi des philosophes, et que les gens de chez nous conviendraient avec toi, et de bon cœur, que réellement les philosophes sont déjà morts et qu'on sait fort bien qu'ils n'ont que ce qu'ils méritent [64].

— Et ils diraient la vérité, Simmias, sauf en ceci : qu'on sait bien, car ils ne savent pas du tout en quel sens les vrais philosophes sont déjà morts, en quel sens ils méritent de mourir et de quelle mort. Mais parlons entre nous, et envoyons promener ces gens-là. Nous croyons, n'est-ce pas, que la mort est quelque chose ?

— Certainement, dit Simmias, qui prit alors la parole.

— Est-ce autre chose que la séparation de l'âme d'avec le corps ? On est mort, quand le corps, séparé de l'âme, reste seul, à part, avec lui-même, et quand l'âme, séparée du corps, reste seule, à part, avec elle-même. La mort n'est pas autre chose que cela, n'est-ce pas ?

— Non, c'est cela, dit Simmias.

— Vois à présent, mon bon, si tu seras du même avis que moi. Ce que je vais dire nous aidera, je pense, à connaître l'objet de notre examen. Te paraît-il qu'il soit d'un philosophe de rechercher ce qu'on appelle les plaisirs comme ceux du manger et du boire ?

— Pas du tout, Socrate, dit Simmias.

— Et ceux de l'amour ?

— Nullement.

— Et les soins du corps, crois-tu que notre philosophe
en fera grand cas ? Crois-tu qu'il tienne à se distinguer
par la beauté des habits et des chaussures et par les
autres ornements du corps, ou qu'il dédaigne tout cela,
à moins qu'une nécessité pressante ne le contraigne à en
faire usage ?

— Je crois qu'il le dédaigne, dit-il s'il est véritablement philosophe.

— Il te paraît donc, en général, dit Socrate, que l'activité d'un tel homme ne s'applique pas au corps, qu'elle
s'en écarte au contraire autant que possible et qu'elle
se tourne vers l'âme.

— Oui.

— Voilà donc un premier point établi : dans les
circonstances dont nous venons de parler, nous voyons
que le philosophe s'applique à détacher le plus possible
son âme du commerce du corps, et qu'il diffère en cela
des autres hommes ?

— Manifestement.

— Et la plupart des hommes, Simmias, s'imaginent
que, lorsqu'on ne prend pas plaisir à ces sortes de choses
et qu'on n'en use pas, ce n'est pas la peine de vivre, et
que l'on n'est pas loin d'être mort quand on ne se soucie
pas du tout des jouissances corporelles.

— Rien de plus vrai que ce que tu dis.

X. — Et quand il s'agit de l'acquisition de la science,
le corps est-il, oui ou non, un obstacle, si on l'associe
à cette recherche ? Je m'explique par un exemple : la vue
et l'ouïe offrent-elles aux hommes quelque certitude,
ou est-il vrai, comme les poètes [65] nous le chantent sans
cesse, que nous n'entendons et ne voyons rien exactement ? Or si ces deux sens corporels ne sont pas exacts
ni sûrs, les autres auront peine à l'être ; car ils sont tous
inférieurs à ceux-là. N'est-ce pas ton avis ?

— Si, entièrement, dit Simmias.

— Quand donc, reprit Socrate, l'âme atteint-elle la vérité ? Quand elle entreprend de faire quelque recherche de
concert avec le corps, nous voyons qu'il l'induit en erreur.

— C'est vrai.

— N'est-ce pas en raisonnant qu'elle prend, si jamais
elle la prend, quelque connaissance des réalités ?

— Si.

— Mais l'âme ne raisonne jamais mieux que quand rien ne la trouble, ni l'ouïe, ni la vue, ni la douleur, ni quelque plaisir, mais qu'au contraire elle s'isole le plus complètement en elle-même, en envoyant promener le corps et qu'elle rompt, autant qu'elle peut, tout commerce et tout contact avec lui pour essayer de saisir le réel.

— C'est juste.

— Ainsi donc, ici encore, l'âme du philosophe méprise profondément le corps, le fuit et cherche à s'isoler en elle-même ?

— Il me semble.

— Et maintenant, Simmias, que dirons-nous de ceci ? Admettons-nous qu'il y a quelque chose de juste en soi, ou qu'il n'y a rien ?

— Oui, par Zeus, nous l'admettons.

— Et aussi quelque chose de beau et de bon ?

— Sans doute.

— Or as-tu déjà vu aucune chose de ce genre avec tes yeux ?

— Pas du tout, dit-il.

— Alors, les as-tu saisies par quelque autre sens de ton corps ? Et je parle ici de toutes les choses de ce genre, comme la grandeur, la santé, la force, en un mot de l'essence de toutes les autres choses, c'est-à-dire de ce qu'elles sont en elles-mêmes. Est-ce au moyen du corps que l'on observe ce qu'il y a de plus vrai en elles ? ou plutôt n'est-il pas vrai que celui d'entre nous qui se sera le mieux et le plus minutieusement préparé à penser la chose qu'il étudie en elle-même, c'est celui-là qui s'approchera le plus de la connaissance des êtres ?

— Certainement.

— Et le moyen le plus pur de le faire, ne serait-ce pas d'aborder chaque chose, autant que possible, avec la pensée seule, sans admettre dans sa réflexion ni la vue ni quelque autre sens, sans en traîner aucun avec le raisonnement, d'user au contraire de la pensée toute seule et toute pure pour se mettre en chasse de chaque chose en elle-même et en sa pureté, après s'être autant que possible débarrassé de ses yeux et de ses oreilles et, si je puis dire, de son corps tout entier, parce qu'il trouble l'âme et ne lui permet pas d'arriver à la vérité et à l'intelligence, quand elle l'associe à ses opérations ? S'il est quelqu'un qui puisse atteindre l'être, n'est-ce pas, Simmias, celui qui en usera de la sorte ?

— C'est merveilleusement exact, Socrate, ce que tu dis là, répondit Simmias.

XI. — Il suit de toutes ces considérations, poursuivit-il, que les vrais philosophes doivent penser et se dire entre eux des choses comme celles-ci : Il semble que la mort est un raccourci qui nous mène au but, puisque, tant que nous aurons le corps associé à la raison dans notre recherche et que notre âme sera contaminée par un tel mal, nous n'atteindrons jamais complètement ce que nous désirons et nous disons que l'objet de nos désirs, c'est la vérité. Car le corps nous cause mille difficultés par la nécessité où nous sommes de le nourrir; qu'avec cela des maladies surviennent, nous voilà entravés dans notre chasse au réel. Il nous remplit d'amours, de désirs, de craintes, de chimères de toute sorte, d'innombrables sottises, si bien que, comme on dit [66], il nous ôte vraiment et réellement toute possibilité de penser. Guerres, dissensions, batailles, c'est le corps seul et ses appétits qui en sont cause; car on ne fait la guerre que pour amasser des richesses et nous sommes forcés d'en amasser à cause du corps, dont le service nous tient en esclavage. La conséquence de tout cela, c'est que nous n'avons pas de loisir à consacrer à la philosophie. Mais le pire de tout, c'est que, même s'il nous laisse quelque loisir et que nous nous mettions à examiner quelque chose, il intervient sans cesse dans nos recherches, y jette le trouble et la confusion et nous paralyse au point qu'il nous rend incapables de discerner la vérité. Il nous est donc effectivement démontré que, si nous voulons jamais avoir une pure connaissance de quelque chose, il nous faut nous séparer de lui et regarder avec l'âme seule les choses en elles-mêmes. Nous n'aurons, semble-t-il, ce que nous désirons et prétendons aimer, la sagesse, qu'après notre mort, ainsi que notre raisonnement le prouve, mais pendant notre vie, non pas. Si en effet il est impossible, pendant que nous sommes avec le corps, de rien connaître purement, de deux choses l'une : ou bien cette connaissance nous est absolument interdite, ou nous l'obtiendrons après la mort; car alors l'âme sera seule elle-même, sans le corps, mais auparavant, non pas. Tant que nous serons en vie, le meilleur moyen, semble-t-il, d'approcher de la connaissance, c'est de n'avoir, autant que possible, aucun commerce ni communion avec le corps, sauf en cas d'absolue nécessité, de ne point nous laisser contaminer de sa nature, et de rester purs de ses souillures, jusqu'à ce que Dieu nous en délivre. Quand nous serons ainsi purifiés, en nous débarrassant de la folie du corps, nous serons vraisemblablement en contact avec les choses pures et nous connaîtrons par nous-mêmes tout ce qui est sans mélange, et c'est en cela sûrement que consiste le vrai; pour l'impur, il ne lui est pas permis d'atteindre le pur. Voilà, j'imagine, Simmias, ce que doivent penser et se dire entre eux tous les vrais amis du savoir. N'es-tu pas de cet avis ?

— Absolument, dit Simmias.

XII. — Si cela est vrai, camarade, reprit Socrate, j'ai grand espoir qu'arrivé où je vais, j'y atteigne pleinement, si on le peut quelque part, ce qui a été l'objet essentiel de mes efforts pendant ma vie passée. Aussi le voyage qui m'est imposé aujourd'hui suscite en moi une bonne espérance, comme en tout homme qui croit que sa pensée est préparée, comme si elle avait été purifiée.

— Cela est certain, dit Simmias.

— Or purifier l'âme n'est-ce pas justement, comme nous le disions tantôt, la séparer le plus possible du corps et l'habituer à se recueillir et à se ramasser en elle-même de toutes les parties du corps, et à vivre, autant que possible, dans la vie présente et dans la vie future, seule avec elle-même, dégagée du corps comme d'une chaîne.

— Assurément, dit-il.

— Et cet affranchissement et cette séparation de l'âme d'avec le corps, n'est-ce pas cela qu'on appelle la mort ?

— C'est exactement cela, dit-il.

— Mais délivrer l'âme, n'est-ce pas, selon nous, à ce but que les vrais philosophes, et eux seuls, aspirent ardemment et constamment, et n'est-ce pas justement à cet affranchissement et à cette séparation de l'âme et du corps que s'exercent les philosophes ? Est-ce vrai ?

— Evidemment.

— Dès lors, comme je le disais en commençant, il serait ridicule qu'un homme qui, de son vivant, s'entraîne à vivre dans un état aussi voisin que possible de la mort, se révolte lorsque la mort se présente à lui.

— Ridicule, sans contredit.

— C'est donc un fait, Simmias, reprit Socrate, que les vrais philosophes s'exercent à mourir et qu'ils sont, de tous les hommes, ceux qui ont le moins peur de la mort. Réfléchis à ceci. Si en effet, ils sont de toute façon brouillés avec leur corps et désirent que leur âme soit seule avec elle-même, et, si d'autre part, ils ont peur et se révoltent quand ce moment arrive, n'est-ce pas une inconséquence grossière de leur part, de ne point aller volontiers en un endroit où ils ont l'espoir d'obtenir dès leur arrivée ce dont ils ont été épris toute leur vie, et ils étaient épris de la sagesse, et d'être délivrés d'un compagnon avec lequel ils étaient brouillés ? Hé quoi, on a vu beaucoup d'hommes qui, pour avoir perdu un mignon, une femme, un fils, se sont résolus d'eux-mêmes à les suivre dans l'Hadès, conduits par l'espoir d'y revoir ceux qu'ils regrettaient et de rester avec eux, et, quand il s'agit de la sagesse, l'homme qui en est réellement épris et qui a, lui aussi, la ferme conviction qu'il ne trouvera nulle part ailleurs que dans l'Hadès une sagesse qui vaille la peine qu'on en parle, se révoltera contre la mort et n'ira pas volontiers dans l'autre monde ! Il faut bien croire que si, camarade, s'il est réellement philosophe, car il aura la ferme conviction qu'il ne rencontrera nulle part la sagesse pure, sinon là-bas. Mais, s'il en est ainsi, ne serait-ce pas, comme je le disais tout à l'heure, une grossière inconséquence, qu'un tel homme eût peur de la mort ?

— Si, par Zeus, dit-il.

XIII. — Par conséquent, lorsque tu verras un homme se fâcher parce qu'il va mourir, tu as là une forte preuve qu'il n'aimait pas la sagesse, mais le corps, et l'on peut croire qu'il aimait aussi l'argent et les honneurs, l'un des deux, ou tous les deux ensemble.

—·Certainement, dit-il, cela est comme tu le dis.

— Et ce qu'on appelle courage, Simmias, n'est-il pas aussi une marque caractéristique des vrais philosophes ?

— Sans aucun doute, répondit-il.

— Et la tempérance, ce qu'on appelle communément tempérance et qui consiste à ne pas se laisser troubler par les passions, mais à les dédaigner et à les régler, n'est-ce pas le fait de ceux-là seuls qui s'intéressent très peu au corps et vivent dans la philosophie ?

— Nécessairement, dit-il.

— Si, en effet, poursuivit Socrate, tu veux bien considérer le courage et la tempérance des autres hommes, tu les trouveras bien étranges.

— Comment cela, Socrate ?

— Tu sais, dit-il, que tous les autres hommes comptent la mort au nombre des grands maux ?

— Assurément, répondit Simmias.

— Or n'est-ce pas dans la crainte de maux plus grands que ceux d'entre eux qui ont du courage supportent la mort, quand ils ont à la supporter ?

— C'est exact.

— C'est donc par peur et par crainte qu'ils sont tous courageux, hormis les philosophes. Et pourtant il est absurde d'être brave par peur et par lâcheté.

— Assurément.

— N'en est-il pas de même pour ceux d'entre eux qui sont réglés ? C'est par une sorte de dérèglement qu'ils sont tempérants. Nous avons beau dire que c'est impossible, leur niaise tempérance n'en revient pas moins à cela. C'est parce qu'ils ont peur d'être privés d'autres plaisirs dont ils ont envie qu'ils s'abstiennent de certains plaisirs pour d'autres qui les maîtrisent. Ils appellent bien intempérance le fait d'être gouverné par les plaisirs, cela n'empêche pas que c'est parce qu'ils sont vaincus par certains plaisirs qu'ils en dominent d'autres. Et cela revient à ce que je disais tout à l'heure, que c'est en quelque manière par dérèglement qu'ils sont devenus tempérants.

— Il le semble en effet.

— Bienheureux Simmias, peut-être n'est-ce pas le vrai moyen d'acquérir la vertu, que d'échanger voluptés contre voluptés, peines contre peines, craintes contre craintes, les plus grandes contre les plus petites, comme si c'étaient des pièces de monnaie; on peut croire, au contraire, que la seule bonne monnaie contre laquelle il faut échanger tout cela, c'est la sagesse, que c'est à ce prix et par ce moyen que se font les achats et les ventes réels, et que le courage, la tempérance, la justice, et, en général, la vraie vertu s'acquièrent avec la sagesse, peu importe qu'on y ajoute ou qu'on en écarte les plaisirs, les craintes et toutes les autres choses de ce genre. Si on les sépare de la sagesse et si on les échange les unes contre les autres, une telle vertu n'est plus qu'un trompe-l'œil, qui ne convient en réalité qu'à des esclaves et qui n'a rien de sain ni de vrai. La vérité est en fait une purification de toutes ces passions, et la tempérance, la justice, le courage et la sagesse elle-même sont une espèce de purification. Je m'imagine que ceux qui ont établi les mystères à notre intention n'étaient pas des

hommes ordinaires, mais qu'en réalité ils ont voulu
jadis nous faire entendre que tout homme, qui arrive
dans l'Hadès sans être purifié et initié, restera couché
dans la fange [67], mais que celui qui a été purifié et initié,
dès son arrivée là-bas, habitera avec les dieux. Il y a
en effet, comme disent ceux qui sont versés dans les
initiations, « beaucoup de porteurs de férules, mais peu
d'inspirés ». Et ceux-ci, à mon avis, ne sont autres que
ceux qui ont été de vrais philosophes. Pour être, moi
aussi, de ce nombre je n'ai, autant qu'il dépendait de
moi, rien négligé de mon vivant, et aucun effort ne m'a
coûté pour y parvenir. M'y suis-je appliqué comme il
le fallait, ai-je quelque peu réussi ? Je vais savoir la
vérité en arrivant là-bas, s'il plaît à Dieu, dans quelques
heures. Telle est mon opinion.

Voilà, Simmias et Cébès, continua-t-il, ce que j'avais
à dire pour me justifier. Vous voyez pour quelles raisons
je ne m'afflige ni ne m'indigne de vous quitter, vous et
mes maîtres d'ici, parce que je suis convaincu que là-bas,
tout comme ici, je trouverai de bons maîtres et de bons
camarades. C'est ce que le vulgaire ne croit pas. Maintenant si mon plaidoyer vous convainc mieux que je
n'ai convaincu mes juges athéniens, je n'ai rien de plus
à souhaiter. »

XIV. — Quand Socrate eut ainsi parlé, Cébès prit la
parole et dit : « Tout cela, Socrate, me paraît bien dit;
mais en ce qui regarde l'âme, les hommes ont grand-
peine à le croire. Ils se disent que peut-être, quand elle
est séparée du corps, elle n'est plus nulle part et qu'elle
se corrompt et se perd le jour même où l'homme meurt;
qu'aussitôt qu'elle se sépare et sort du corps, elle se
disperse comme un souffle et une fumée; qu'elle s'envole
en tous sens et qu'elle n'est plus rien nulle part. Car,
si elle était quelque part ramassée en elle-même et délivrée de ces maux dont tu as fait tout à l'heure le tableau,
il y aurait une grande et belle espérance, Socrate, que
ce que tu dis se réalise. Mais que l'âme existe après la
mort de l'homme et qu'elle conserve une certaine activité et la pensée, cela demande à être confirmé et démontré à fond.

— C'est vrai, Cébès, dit Socrate. Qu'allons-nous faire
alors ? Veux-tu que nous fassions de cette question un
examen approfondi pour voir si c'est vraisemblable ou
non ?

— Pour ma part, en tout cas, dit Cébès, j'aurais plaisir à entendre ce que tu penses sur cette matière.

— Pour cette fois, dit Socrate, je ne pense pas que, si quelqu'un nous entendait à présent, fût-ce un poète comique, il pût dire que je bavarde [68] et que je parle de choses qui ne me regardent pas. Si donc tu es de cet avis, il faut examiner à fond la question.

XV. — Pour l'examiner, demandons-nous si les âmes des hommes qui sont morts sont dans l'Hadès ou non. Une ancienne tradition [69], qui me revient en mémoire, veut que les âmes existent là-bas, où elles sont venues d'ici, et qu'elles reviennent ici et naissent des morts. Et s'il en est ainsi, si les vivants renaissent des morts, il faut en conclure que nos âmes sont là-bas ; car elles ne sauraient renaître, si elles n'existaient pas, et leur existence nous sera suffisamment prouvée, si nous voyons clairement que les vivants ne naissent que des morts. Si cela n'est pas, il nous faudra chercher une autre preuve.

— Parfaitement, dit Cébès.

— Maintenant, reprit Socrate, ne borne pas ton enquête aux hommes, si tu veux découvrir plus aisément la vérité ; étends-la à tous les animaux et aux plantes, bref à tout ce qui a naissance et voyons, en considérant tout cela, s'il est vrai qu'aucune chose ne saurait naître que de son contraire, quand elle a un contraire, comme par exemple le beau qui a pour contraire le laid, le juste, l'injuste, et ainsi de mille autres choses. Voyons donc si c'est une nécessité que tout ce qui a un contraire ne naisse d'aucune autre chose que de ce contraire, par exemple, s'il faut de toute nécessité, quand une chose devient plus grande, qu'elle ait été plus petite avant de devenir plus grande.

— Oui.

— Et si elle devient plus petite, qu'elle ait été plus grande pour devenir ensuite plus petite.

— C'est bien cela, dit-il.

— Et de même le plus faible vient du plus fort, et le plus vite du plus lent.

— Cela est certain.

— Et si une chose devient pire, n'est-ce pas de meilleure qu'elle était, et si elle devient plus juste, de plus injuste ?

— Sans doute.

— Alors, dit Socrate, nous tenons pour suffisamment

prouvé que toutes les choses naissent de cette manière, c'est-à-dire de leurs contraires ?

— Oui.

— Autre question : n'y a-t-il pas ici, entre tous ces couples de contraires, une double naissance, l'une qui tire l'un des deux contraires de l'autre, et l'autre qui tire celui-ci du premier ? Entre une chose plus grande et une plus petite il y a accroissement et diminution et nous disons que l'une croît et que l'autre décroît.

— Oui, dit-il.

— N'en est-il pas de même de ce que nous appelons se décomposer et se combiner, se refroidir et s'échauffer, et ainsi de tout ? Et si parfois les mots nous font défaut, en fait du moins, c'est toujours une nécessité qu'il en soit ainsi, que les contraires naissent les uns des autres et qu'il y ait génération de l'un des deux à l'autre.

— Certainement, dit-il.

XVI. — Et la vie, reprit Socrate, n'a-t-elle pas aussi un contraire, comme la veille a pour contraire le sommeil ?

— Certainement, dit-il.

— Quel est-il ?

— La mort, répondit-il.

— Alors ces deux choses naissent l'une de l'autre, si elles sont contraires, et, comme elles sont deux, il y a deux naissances entre elles ?

— Sans doute.

— Pour l'un des deux couples que je viens de mentionner, c'est moi, dit Socrate, qui vais parler de lui et de ses générations; c'est toi qui parleras de l'autre. Je rappelle donc que l'un est le sommeil et l'autre la veille, et que du sommeil naît la veille, et de la veille le sommeil, et que leurs naissances aboutissent pour l'une à s'endormir, pour l'autre à s'éveiller. Trouves-tu cela suffisamment clair ?

— Très clair.

— A ton tour maintenant, reprit Socrate, d'en dire autant de la vie et de la mort. N'admets-tu pas que le contraire de la vie, ce soit la mort ?

— Si.

— Et qu'elles naissent l'une de l'autre ?

— Si.

— Alors, de la vie, que naît-il ?

— La mort, répondit-il.

— Et de la mort ? reprit Socrate.

— Il faut, dit-il, avouer que c'est la vie.

— C'est donc des morts, Cébès, que naît ce qui a vie, choses et animaux ?

— Apparemment, dit-il.

— Dès lors, reprit Socrate, nos âmes existent dans l'Hadès ?

— Il semble.

— Or, des deux générations de ces contraires, il y en a une qui est facile à voir ; car il est certainement facile de voir que l'on meurt, n'est-ce pas ?

— Assurément, dit-il.

— Que ferons-nous donc ? reprit Socrate. A cette génération n'opposerons-nous pas la génération contraire, et la nature est-elle boiteuse de ce côté-là ? ou faut-il opposer à mourir une génération contraire ?

— Il le faut absolument, dit-il.

— Quelle est cette génération ?

— C'est revivre.

— Dès lors, reprit Socrate, si revivre existe, revivre, c'est une génération qui va des morts aux vivants ?

— Oui.

— Nous convenons donc par là aussi que les vivants naissent des morts, tout comme les morts des vivants. Cela étant, j'ai cru y trouver une preuve suffisante que les âmes des morts existent forcément quelque part, d'où elles reviennent à la vie.

— Il me semble, Socrate, repartit Cébès, que c'est une conséquence forcée des principes dont nous sommes tombés d'accord.

XVII. — J'ai de quoi te faire voir, Cébès, reprit Socrate, que nous n'avons pas eu tort non plus, à ce qu'il me semble, d'en tomber d'accord. Si en effet les naissances ne s'équilibraient pas d'un contraire à l'autre et tournaient pour ainsi dire en cercle, si au contraire elles se faisaient en ligne droite et uniquement d'un contraire à celui qui lui fait face, si elles ne revenaient pas vers l'autre et ne prenaient pas le sens inverse, tu te rends bien compte qu'à la fin toutes les choses auraient la même figure et tomberaient dans le même état et que la génération s'arrêterait.

— Comment dis-tu ? demanda-t-il.

— Il n'est pas du tout difficile, repartit Socrate, de comprendre ce que je dis. Si par exemple l'assoupissement existait seul, sans avoir pour lui faire équilibre le réveil

né du sommeil, tu te rends compte qu'à la fin Endymion [70]
passerait inaperçu dans le monde endormi et ne ferait
plus figure nulle part, puisque tout le reste serait dans
le même état que lui et dormirait comme lui. Et si tout
était mêlé ensemble sans se séparer jamais, le mot
d'Anaxagore [71] : « Tout était confondu ensemble », devien-
drait bientôt vrai. De même, mon cher Cébès, si tout ce
qui a part à la vie venait à mourir, et, une fois mort, restait en cet état, sans revenir à la vie, n'arriverait-il pas
inévitablement qu'à la fin tout serait mort et qu'il n'y
aurait plus rien de vivant ? Si en effet les choses vivantes
naissaient d'autres choses que des mortes et qu'elles
vinssent à mourir, le moyen que tout ne s'abîmât pas dans
la mort ?

— Je n'en vois aucun, Socrate, dit Cébès, et tu me
parais tout à fait dans le vrai.

— Effectivement, Cébès, reprit Socrate, rien n'est
plus vrai, selon moi, et nous ne nous trompons pas en
le reconnaissant. Il est certain qu'il y a un retour à la
vie, que les vivants naissent des morts, que les âmes
des morts existent [et que le sort des âmes bonnes est
meilleur, celui des mauvaises pire] [72].

XVIII. — Maintenant, dit Cébès, reprenant la parole,
s'il est vrai, comme tu le dis souvent, que, pour nous,
apprendre n'est pas autre chose que se ressouvenir [73],
c'est une nouvelle preuve que nous devons forcément
avoir appris dans un temps antérieur ce que nous nous
rappelons à présent. Et cela serait impossible si notre
âme n'avait pas existé quelque part avant de s'unir à notre
forme humaine. Aussi peut-on conclure de là que l'âme
cst immortelle.

— Mais, Cébès, dit Simmias prenant la parole, comment
démontre-t-on ce que tu avances là ? Fais-m'en souvenir,
car en ce moment je ne me le rappelle guère.

— Une seule preuve suffit, dit Cébès, mais éclatante :
c'est que si l'on interroge les hommes, en posant bien
les questions, ils découvrent d'eux-mêmes la vérité sur
chaque chose, ce qu'ils seraient incapables de faire, s'ils
n'avaient en eux-mêmes la science et la droite raison.
Qu'on les mette après cela devant une figure géomé-
trique ou quelque autre chose du même genre, l'épreuve
révélera de la manière la plus claire qu'il en est bien
ainsi.

— Si tu ne te rends pas, Simmias, dit Socrate, à cette

démonstration, vois, si en prenant la question de ce
biais, tu n'entreras pas dans notre sentiment. Tu as de
la peine à croire, n'est-ce pas, que ce que nous appelons
savoir soit une réminiscence ?

— Que j'aie peine à te croire, dit Simmias, non ; mais
ce que je voudrais, c'est justement de savoir ce qu'est
cette réminiscence dont nous parlons. Sur ce que Cébès
a entrepris d'expliquer, la mémoire m'est revenue assez
nettement et je suis persuadé ; néanmoins j'aimerais
entendre à présent comment tu t'y es pris pour faire ta
démonstration.

— Moi ? dit-il, voici comment. Nous sommes d'accord,
n'est-ce pas, que pour se souvenir de quelque chose, il
faut l'avoir su auparavant ?

— Tout à fait d'accord, dit-il.

— Le sommes-nous aussi sur ce point, que, lorsque
la connaissance nous vient de cette façon-ci, c'est une
réminiscence ? Voici ce que j'entends par cette façon-ci :
si un homme qui a vu, entendu ou perçu quelque chose
d'une autre manière, non seulement a pris connaissance
de cette chose, mais encore a songé à une autre qui ne
relève pas de la même science, mais d'une science différente, est-ce que nous n'avons pas le droit de dire qu'il
s'est ressouvenu de la chose à laquelle il a songé ?

— Comment cela ?

— Prenons un exemple : autre chose est la connaissance d'un homme, et autre chose la connaissance d'une
lyre.

— Sans doute.

— Eh bien, ne sais-tu pas ce qui arrive aux amants,
à la vue d'une lyre, d'un manteau ou de quelque autre
chose dont leurs mignons ont l'habitude de se servir ?
En même temps qu'ils reconnaissent la lyre, ils reçoivent
dans leur esprit l'image de l'enfant à qui cette lyre
appartient. Et cela, c'est une réminiscence, tout comme,
quand on voit Simmias, on se souvient souvent de Cébès,
et je pourrais citer des milliers d'exemples du même genre.

— Des milliers, oui, par Zeus, repartit Simmias.

— N'y a-t-il pas dans un tel cas, demanda Socrate,
une sorte de réminiscence, surtout lorsqu'il s'agit de choses
que le temps ou l'inattention a fait oublier ?

— Assurément si, dit-il.

— Mais, en voyant un cheval ou une lyre sur un
tableau, ne peut-on pas se ressouvenir d'un homme, et, en
voyant le portrait de Simmias, se ressouvenir de Cébès ?

— Certainement si.

— Et en voyant le portrait de Simmias, se ressouvenir de Simmias lui-même ?

— Certainement, on le peut, dit-il.

XIX. — De tout cela ne résulte-t-il pas que la réminiscence provient tantôt de choses semblables, tantôt de choses dissemblables ?

— Si.

— Et quand on se ressouvient de quelque chose à propos de choses semblables, n'est-il pas inévitable qu'une pensée se présente d'abord à l'esprit, celle de savoir si cette chose a, ou non, quelque défaut de ressemblance avec l'objet dont on s'est souvenu ?

— C'est inévitable, dit-il.

— Vois maintenant si ce que je vais dire est juste. Nous disons bien qu'il y a quelque chose d'égal, je n'entends pas parler d'un morceau de bois égal à un morceau de bois, ni d'une pierre égale à une pierre, ni de rien de pareil, mais d'une autre chose qui est par-delà toutes celles-là, de l'égalité elle-même. Dirons-nous qu'elle existe ou qu'elle n'existe pas ?

— Oui, par Zeus, répondit Simmias, il faut dire qu'elle existe, et même merveilleusement.

— Savons-nous aussi ce qu'elle est ?

— Certainement, dit-il.

— D'où avons-nous tiré cette connaissance ? N'est-ce pas des choses dont nous parlions à l'instant ? N'est-ce pas en voyant des morceaux de bois, des pierres et certaines autres choses égales, n'est-ce pas d'après ces choses que nous avons pensé à cette égalité, qui diffère d'elles ? ou bien crois-tu qu'elle n'en diffère pas ? Examine encore la question de ce biais. N'arrive-t-il pas quelquefois que des pierres égales, des morceaux de bois égaux paraissent, tout en étant les mêmes, tantôt égaux, tantôt non ?

— Certainement.

— Mais les choses égales en soi t'ont-elles jamais paru inégales et l'égalité, inégalité ?

— Jamais, Socrate.

— Ces objets égaux et l'égalité en soi, dit Socrate, ne sont donc pas la même chose ?

— Il ne me semble pas, Socrate.

— C'est pourtant de ces objets égaux, reprit-il, tout différents qu'ils sont de cette égalité, que tu as conçu et tiré la connaissance de celle-ci.

— C'est très vrai, dit-il.

— Et cela, qu'elle soit semblable ou dissemblable à ces objets ?

— Oui.

— C'est en effet absolument indifférent, reprit Socrate. Du moment que la vue d'une chose te fait songer à une autre, soit semblable, soit dissemblable, il faut nécessairement que ce soit une réminiscence.

— Assurément.

— Mais dis-moi, reprit Socrate, que nous arrive-t-il en présence des morceaux de bois égaux et des objets égaux dont nous parlions tout à l'heure ? Nous paraissent-ils égaux comme l'égalité en soi, ou, dans leur ressemblance à l'égalité, lui sont-ils inférieurs en quelque chose ou en rien ?

— Ils lui sont inférieurs de beaucoup, dit-il.

— Alors nous sommes d'accord que lorsqu'un homme, en voyant un objet, se dit : « Cette chose que je vois aspire à être telle qu'un autre objet réel, mais il lui manque pour cela quelque chose, et elle ne peut être telle que cet objet réel et elle lui reste inférieure, » nous sommes d'accord, dis-je, que celui qui a cette pensée doit forcément avoir connu auparavant l'objet auquel il dit que la chose ressemble, mais imparfaitement.

— Forcément.

— Eh bien, c'est ce qui nous est arrivé, n'est-ce pas, à propos des choses égales et de l'égalité en soi ?

— Exactement.

— Il faut donc que nous ayons eu connaissance de l'égalité avant le temps où, voyant pour la première fois des choses égales, nous nous sommes dit : « Toutes ces choses tendent à être telles que l'égalité, mais ne le sont qu'imparfaitement. »

— C'est juste.

— Nous sommes d'accord aussi sur ce point, c'est que cette pensée ne nous est venue et n'a pu nous venir que du fait d'avoir vu ou touché ou perçu la chose par quelque autre sens, car pour moi tous ces sens s'équivalent.

— Ils s'équivalent en effet, Socrate, pour ce que notre discussion veut démontrer.

— Mais alors c'est des sens que doit nous venir la notion que toutes les égalités sensibles tendent à cette égalité en soi, mais sans y réussir entièrement. N'est-ce pas ce que nous disons ?

— C'est cela.

— Ainsi donc, avant de commencer à voir, à entendre et à faire usage de nos autres sens, il faut que nous ayons pris connaissance de ce qu'est l'égalité en soi pour y rapporter les égalités que nous percevons par les sens et voir qu'elles aspirent toutes à être telles que cette égalité, mais lui sont inférieures.

— C'est une conséquence nécessaire de ce qui a été dit, Socrate.

— Donc, dès notre naissance, nous voyions, entendions et faisions usage des autres sens ?

— Certainement.

— Il faut donc, disons-nous, qu'avant cela nous ayons pris connaissance de l'égalité ?

— Oui.

— C'est donc, semble-t-il, avant notre naissance qu'il faut que nous l'ayons prise.

— Il le semble.

XX. — Conséquemment, si nous avons acquis cette connaissance avant de naître et si nous sommes nés avec elle, nous connaissions donc aussi avant de naître et en naissant non seulement l'égalité, le grand et le petit, mais encore toutes les notions de même nature; car ce que nous disons ici ne s'applique pas plus à l'égalité qu'au beau en soi, au bon en soi, au juste, au saint et, je le répète, à tout ce que nous marquons du sceau de l'absolu, soit dans les questions, soit dans les réponses que suscite la discussion, de sorte qu'il faut nécessairement que nous ayons pris connaissance de toutes ces notions avant notre naissance.

— C'est vrai.

— Et si, après avoir pris cette connaissance, nous ne l'oubliions pas chaque fois, nous l'aurions toujours dès notre naissance et la garderions toujours pendant notre vie. Savoir en effet n'est pas autre chose que garder les connaissances une fois acquises et ne pas les perdre; car ce que nous appelons oubli, n'est-ce pas, Simmias, la perte de la science ?

— C'est bien certainement cela, Socrate, dit-il.

— Mais si, je suppose, nous avons perdu en naissant les connaissances que nous avions acquises avant de naître, mais qu'en appliquant nos sens aux objets en question, nous ressaisissions ces connaissances que nous possédions précédemment, n'est-il pas vrai que ce que nous appelons apprendre, c'est ressaisir une science qui

nous appartient ? Et en disant que cela, c'est se ressouvenir, n'emploierions-nous pas le mot juste ?

— Certainement si.

— Car nous avons vu qu'il est possible, en percevant
une chose par la vue, ou par l'ouïe ou par quelque autre
sens, que cette chose fasse penser à une autre qu'on avait
oubliée et avec laquelle elle avait du rapport, sans lui
ressembler ou en lui ressemblant. Par conséquent il faut,
je le répète, de deux choses l'une, ou bien que nous soyons
nés avec la connaissance des réalités en soi et que nous
les gardions toute la vie, tous tant que nous sommes, ou
bien que ceux dont nous disons qu'ils apprennent ne
fassent pas autre chose que se souvenir, et que la science
soit réminiscence.

— Cela est certainement juste, Socrate.

XXI. — Alors lequel des deux choisis-tu, Simmias ?
Naissons-nous avec des connaissances, ou bien nous
ressouvenons-nous ensuite des choses dont nous avions
pris connaissance auparavant ?

— Je suis incapable, Socrate, de faire ce choix sur-le-
champ.

— Eh bien, voici une question où tu peux faire un
choix et dire ton avis : un homme qui sait peut-il rendre
raison de ce qu'il sait, ou ne le peut-il pas ?

— Forcément, il le peut, Socrate, dit-il.

— Te paraît-il aussi que tous les hommes puissent rendre raison de ces réalités dont nous parlions tout à
l'heure ?

— Je le voudrais bien, ma foi, dit Simmias ; mais j'ai
plutôt peur que demain à cette heure-ci il n'y ait plus un
homme au monde qui soit capable de s'en acquitter
dignement.

— Tu ne crois donc pas, Simmias, dit Socrate, que
tous les hommes connaissent ces réalités ?

— Pas du tout.

— Alors ils se ressouviennent de ce qu'ils ont appris
jadis ?

— Nécessairement.

— En quel temps nos âmes ont-elles acquis la connaissance de ces réalités ? Ce n'est certes pas depuis que nous
sommes sous forme d'hommes.

— Non, certainement.

— C'est donc avant.

— Oui.

— Par conséquent, Simmias, les âmes existaient déjà avant d'être sous la forme humaine, séparées du corps et en possession de la pensée ?

— A moins, Socrate, que nous ne recevions ces connaissances au moment de notre naissance; car il nous reste encore ce temps-là.

— Fort bien, camarade. Mais en quel autre temps les perdons-nous ? Nous ne naissons pas avec elles, nous venons d'en convenir. Les perdons-nous au moment même où nous les recevons; ou peux-tu indiquer un autre temps ?

— Pas du tout, Socrate; par mégarde, j'ai dit une sottise.

XXII. — Voici donc où nous en sommes, Simmias, reprit Socrate : si ces choses que nous avons toujours à la bouche, le beau, le bien et toutes les essences de cette nature existent réellement, si nous rapportons tout ce qui vient des sens à ces choses qui nous ont paru exister avant nous et nous appartenir en propre, et, si nous le comparons à elles, il faut nécessairement que, comme elles existent, notre âme existe aussi et antérieurement à notre naissance; si elles n'existent pas, notre raisonnement tombe à plat. N'en est-il pas ainsi et n'est-ce pas une égale nécessité et que ces choses existent et que nos âmes aient existé avant nous, et que, si celles-là n'existent pas, celles-ci n'existent pas non plus ?

— C'est merveilleusement exact, à mon avis, Socrate, dit Simmias : c'est vraiment la même nécessité et ton argumentation a recours fort à propos à l'étroite liaison qu'il y a entre l'existence de l'âme avant notre naissance et l'essence dont tu parles. Car je ne vois rien de plus clair que ceci, c'est que le beau, le bien et toutes les autres choses de même nature dont tu parlais tout à l'heure existent d'une existence aussi réelle que possible. Et, pour ma part, je suis satisfait de la démonstration.

— Mais Cébès ? dit Socrate : car il faut aussi convaincre Cébès.

— Je pense, dit Simmias, qu'il est satisfait aussi, quoiqu'il soit le plus obstiné des hommes à se méfier des raisonnements. Cependant je crois qu'il est suffisamment persuadé que notre âme existait avant notre naissance.

XXIII. — Mais qu'elle doive encore exister après notre mort, je ne vois pas, moi non plus, Socrate, poursuivit-il, que cela soit démontré. Il reste à réfuter cette opinion du vulgaire dont Cébès parlait tout à l'heure. Le vulgaire, en effet, craint qu'au moment où l'homme meurt, son âme ne se dissipe et que ce ne soit là pour elle la fin de l'existence. Car qui empêche qu'elle ne naisse, qu'elle ne se forme de quelque autre chose et qu'elle n'existe avant d'entrer dans un corps humain, et que, lorsqu'elle y est entrée, puis s'en est séparée, elle ne finisse alors et ne périsse comme lui ?

— Bien parlé, Simmias, dit Cébès. Il me paraît en effet que Socrate n'a prouvé que la moitié de ce qu'il fallait démontrer, c'est-à-dire que notre âme existait avant notre naissance. Mais il fallait prouver aussi qu'elle n'existera pas moins après notre mort qu'avant notre naissance, pour que la démonstration fut complète.

— Elle est complète dès à présent, Simmias et Cébès, repartit Socrate, si vous voulez bien joindre cette preuve-ci à celle que nous avons approuvée précédemment, que tout ce qui vit naît de ce qui est mort. Si, en effet, l'âme existe déjà avant nous et si, quand elle vient à la vie et naît, elle ne peut naître d'aucune autre chose que de la mort et de ce qui est mort, ne faut-il pas nécessairement aussi qu'elle existe encore après la mort, puisqu'elle doit revenir à la vie ? Ainsi la preuve que vous demandez a déjà été donnée.

XXIV. — Je vois bien cependant que Cébès et toi, vous seriez bien aises d'approfondir encore davantage la question, et que vous craignez, comme les enfants, qu'au moment où l'âme sort du corps, le vent ne l'emporte et ne la dissipe réellement, surtout lorsqu'à l'heure de la mort le temps n'est pas calme, mais qu'il souffle un grand vent. »

Sur quoi Cébès, se mettant à rire : « Prends que nous avons peur, Socrate, dit-il, et tâche de nous persuader, ou plutôt imagine-toi, non que nous ayons peur, mais que peut-être il y a en nous un enfant que ces choses-là effraient, et tâche de le persuader de ne pas craindre la mort comme un croquemitaine.

— Eh bien, dit Socrate, il faut lui chanter des incantations tous les jours jusqu'à ce qu'il soit exorcisé.

— Où trouver, Socrate, répliqua-t-il, un bon enchanteur contre ces frayeurs, quand toi, dit-il, tu nous abandonnes ?

— La Grèce est vaste, Cébès, répliqua-t-il, et il s'y
trouve des hommes excellents ; nombreuses aussi sont les
races des barbares. Il faut fouiller tous ces pays pour
chercher cet enchanteur, sans épargner votre argent ni
vos peines ; car il n'est rien pour quoi vous puissiez
dépenser votre argent plus à propos. Mais il faut aussi
le chercher vous-mêmes les uns chez les autres ; car il se
peut que vous ne trouviez pas non plus facilement des gens
plus capables que vous de pratiquer ces enchantements.

— C'est ce que nous ferons, dit Cébès. Mais revenons,
s'il te plaît, au point d'où nous sommes partis.

— Oui, cela me plaît ; comment cela ne me plairait-il
pas ?

— A merveille, dit-il.

XXV. — Il faut, reprit Socrate, nous poser à nous-
mêmes une question comme celle-ci : A quelle sorte de
choses appartient-il de souffrir cet accident qu'est la
dispersion, et pour quelle sorte de choses avons-nous à
le craindre, pour quelle sorte, non ? Après cela, nous aurons
encore à examiner à laquelle de ces deux sortes appartient l'âme et, d'après cela, à conclure ce que nous avons
à espérer ou à craindre pour notre âme à nous.

— Cela est vrai, dit-il.

— Or, n'est-ce pas à ce qui a été composé et à ce que
la nature compose qu'il appartient de se résoudre de la
même manière qu'il a été composé, et s'il y a quelque
chose qui ne soit pas composé, n'est-ce pas à cela seul
plus qu'à toute autre chose qu'il appartient d'échapper
à cet accident ?

— Il me semble qu'il en est ainsi, dit Cébès.

— Dès lors il est très vraisemblable que les choses
qui sont toujours les mêmes et dans le même état ne
sont pas les choses composées, et que les choses qui sont
tantôt d'une façon, tantôt d'une autre, et qui ne sont
jamais les mêmes, celles-là sont les choses composées ?

— Je le crois pour ma part.

— Venons maintenant, reprit Socrate, aux choses dont
nous parlions précédemment. L'essence elle-même, que
dans nos demandes et nos réponses nous définissons par
l'être véritable, est-elle toujours la même et de la même
façon, ou tantôt d'une façon, tantôt de l'autre ? L'égal
en soi, le beau en soi, chaque chose en soi, autrement
dit l'être réel, admet-il jamais un changement, quel qu'il
soit, ou chacune de ces réalités, étant uniforme et exis-

tant pour elle-même, est-elle toujours la même et de la même façon et n'admet-elle jamais nulle part en aucune façon aucune altération ?

— Elle reste nécessairement, Socrate, répondit Cébès, dans le même état et de la même façon.

— Mais que dirons-nous de la multitude des belles choses, comme les hommes, les chevaux, les vêtements ou toute autre chose de même nature, qui sont ou égales ou belles et portent toutes le même nom que les essences ? Restent-elles les mêmes, ou bien, tout au rebours des essences, ne peut-on dire qu'elles ne sont jamais les mêmes, ni par rapport à elles-mêmes, ni par rapport aux autres ?

— C'est ceci qui est vrai, dit Cébès : elles ne sont jamais les mêmes.

— Or ces choses, on peut les toucher, les voir et les saisir par les autres sens; au contraire, celles qui sont toujours les mêmes on ne peut les saisir par aucun autre moyen que par un raisonnement de l'esprit, les choses de ce genre étant invisibles et hors de la vue.

— Ce que tu dis est parfaitement vrai, dit-il.

XXVI. — Maintenant veux-tu, continua Socrate, que nous posions deux espèces d'êtres, l'une visible, l'autre invisible ?

— Posons, dit-il.

— Et que l'invisible est toujours le même, et le visible jamais ?

— Posons-le aussi, dit-il.

— Dis-moi, maintenant, reprit Socrate, ne sommes-nous pas composés d'un corps et d'une âme ?

— Si, dit-il.

— A quelle espèce notre corps est-il, selon nous, plus conforme et plus étroitement apparenté ?

— Il est clair pour tout le monde, répondit-il, que c'est à l'espèce visible.

— Et l'âme est-elle visible ou invisible ?

— Elle n'est pas visible, Socrate, dit-il, du moins pour l'homme.

— Eh bien mais, quand nous parlons de ce qui est visible et de ce qui ne l'est pas, c'est eu égard à la nature humaine; crois-tu donc qu'il s'agit d'une autre nature ?

— Non, c'est de la nature humaine.

— Et l'âme ? dirons-nous qu'on la voit ou qu'on ne la voit pas ?

— On ne la voit pas.

— Elle est donc invisible ?

— Oui.

— Par conséquent l'âme est plus conforme que le corps à l'espèce invisible, et le corps plus conforme à l'espèce visible ?

— De toute nécessité, Socrate.

XXVII. — Ne disions-nous pas aussi tantôt que, lorsque l'âme se sert du corps pour considérer quelque objet, soit par la vue, soit par l'ouïe, soit par quelque autre sens, car c'est se servir du corps que d'examiner quelque chose avec un sens, elle est alors attirée par le corps vers ce qui change ; elle s'égare elle-même, se trouble, est en proie au vertige, comme si elle était ivre, parce qu'elle est en contact avec des choses qui sont en cet état ?

— Certainement.

— Mais lorsqu'elle examine quelque chose seule et par elle-même, elle se porte là-bas vers les choses pures, éternelles, immortelles, immuables, et, comme elle est apparentée avec elles, elle se tient toujours avec elles, tant qu'elle est seule avec elle-même et qu'elle n'en est pas empêchée ; dès lors elle cesse de s'égarer et, en relation avec ces choses, elle reste toujours immuablement la même, à cause de son contact avec elles, et cet état de l'âme est ce qu'on appelle pensée.

— C'est parfaitement bien dit, et très vrai, Socrate, repartit Cébès.

— Maintenant, d'après ce que nous avons dit précédemment et ce que nous disons à présent, à laquelle des deux espèces te semble-t-il que l'âme est le plus ressemblante et plus proche parente ?

— Il me semble, Socrate, répondit-il, que personne, eût-il la tête la plus dure, ne pourrait disconvenir, après ton argumentation, que l'âme ne soit de toute façon plus semblable à ce qui est toujours le même qu'à ce qui ne l'est pas.

— Et le corps ?

— Il ressemble plus à l'autre espèce.

XXVIII. — Considère encore la question de cette façon. Quand l'âme et le corps sont ensemble, la nature prescrit à l'un d'être esclave et d'obéir, à l'autre de commander et d'être maîtresse. D'après cela aussi,

lequel des deux te paraît ressembler à ce qui est divin
et lequel à ce qui est mortel ? Mais peut-être ne crois-tu
pas que ce qui est divin est naturellement fait pour
commander et pour diriger, et ce qui est mortel pour
obéir et pour être esclave ?

— Si, je le crois.

— Alors auquel des deux ressemble l'âme ?

— Il est évident, Socrate, que l'âme ressemble à ce
qui est divin et le corps à ce qui est mortel.

— Examine à présent, Cébès, reprit Socrate, si, de
tout ce que nous avons dit, il ne résulte pas que l'âme
ressemble de très près à ce qui est divin, immortel,
intelligible, simple, indissoluble, toujours le même et
toujours semblable à lui-même, et que le corps ressemble parfaitement à ce qui est humain, mortel, non
intelligible, multiforme, dissoluble et jamais pareil à
soi-même. Pouvons-nous alléguer quelque chose contre
ces raisons et prouver qu'il n'en est pas ainsi ?

— Non.

XXIX. — Alors, s'il en est ainsi, n'est-il pas naturel
que le corps se dissolve rapidement et que l'âme au
contraire soit absolument indissoluble ou à peu près ?

— Sans contredit.

— Or, tu peux observer, continua-t-il, que lorsque
l'homme meurt, la partie de lui qui est visible, le corps,
qui gît dans un lieu visible et que nous appelons cadavre,
bien qu'il soit naturellement sujet à se dissoudre, à se
désagréger et à s'évaporer, n'éprouve d'abord rien de
tout cela et reste comme il est assez longtemps, très
longtemps même, si l'on meurt avec un corps en bon
état et dans une saison également favorable ; car, quand
le corps est décharné et embaumé, comme on fait en
Égypte, il demeure presque entier durant un temps
infini, et même quand il est pourri, certaines de ses parties, les os, les tendons et tout ce qui est du même genre,
sont néanmoins presque immortels. N'est-ce pas vrai ?

— Si.

— Peut-on dès lors soutenir que l'âme, qui s'en va
dans un lieu qui est, comme elle, noble, pur, invisible,
chez celui qui est vraiment l'Invisible [74], auprès d'un
dieu sage et bon, lieu où tout à l'heure, s'il plaît à Dieu,
mon âme doit se rendre aussi, que l'âme, dis-je, pourvue
de telles qualités et d'une telle nature, se dissipe à tous
les vents et périsse en sortant du corps, comme le disent

la plupart des hommes ? Il s'en faut de beaucoup, chers Cébès et Simmias; voici plutôt ce qui arrive. Si, en quittant le corps, elle est pure et n'entraîne rien du corps avec elle, parce que pendant la vie elle n'avait avec lui aucune communication volontaire et qu'au contraire elle le fuyait et se recueillait en elle-même, par un continuel exercice; et l'âme qui s'exerce ainsi ne fait pas autre chose que philosopher au vrai sens du mot et s'entraîner réellement à mourir aisément, ou bien crois-tu que ce ne soit pas s'entraîner à la mort ?

— C'est exactement cela.

— Si donc elle est en cet état, l'âme s'en va vers ce qui est semblable à elle, vers ce qui est invisible, divin, immortel et sage, et quand elle y est arrivée, elle est heureuse, délivrée de l'erreur, de la folie, des craintes, des amours sauvages et de tous les autres maux de l'humanité, et, comme on le dit des initiés, elle passe véritablement avec les dieux le reste de son existence. Est-ce là ce que nous devons croire, Cébès, ou autre chose ?

— C'est cela, par Zeus, dit Cébès.

XXX. — Mais si, je suppose, l'âme est souillée et impure en quittant le corps, parce qu'elle était toujours avec lui, prenait soin de lui, l'aimait, se laissait charmer par lui, par ses désirs, au point de croire qu'il n'y a rien de vrai que ce qui est corporel, ce qu'on peut toucher, voir, boire, manger, employer aux plaisirs de l'amour, et si elle est habituée à haïr, à craindre et à éviter ce qui est obscur et invisible aux yeux, mais intelligible et saisissable à la philosophie, crois-tu qu'une âme en cet état sera seule en elle-même et sans mélange, quand elle quittera le corps ?

— Pas du tout, dit-il.

— Je crois au contraire qu'elle sera toute pénétrée d'éléments corporels, qui ont crû avec elle par suite de son commerce et de sa communion avec le corps, dont elle ne se sépare jamais et dont elle prend grand soin.

— Cela est certain.

— Mais ces éléments, mon ami, tu dois bien penser qu'ils sont lourds, pesants, terreux et visibles. L'âme où ils se trouvent est alourdie et tirée en arrière vers le monde visible par la crainte de l'invisible et, comme on dit, de l'Hadès. Elle hante les monuments et les tombeaux, où l'on a même vu de ténébreux fantômes d'âmes, pareils aux spectres de ces âmes qui n'étaient pas pures en quittant le corps et qu'on peut voir, précisément, parce qu'elles participent du visible.

— Cela est vraisemblable, Socrate.

— Oui, vraiment, Cébès, et il est vraisemblable aussi que ce ne sont pas les âmes des bons, mais celles des méchants qui sont forcées d'errer dans ces lieux en punition de leur façon de vivre antérieure, qui était mauvaise. Et elles errent jusqu'au moment où leur amour de l'élément corporel auquel elles sont rivées les enchaîne de nouveau dans un corps.

XXXI. — Et alors elles sont, comme il est naturel, emprisonnées dans des natures qui correspondent à la conduite qu'elles ont eue pendant la vie.

— Quelles sont ces natures dont tu parles, Socrate ?

— Par exemple ceux qui se sont abandonnés à la gloutonnerie, à la violence, à l'ivrognerie sans retenue entrent naturellement dans des corps d'ânes et de bêtes analogues. Ne le crois-tu pas ?

— C'est en effet tout à fait naturel.

— Et ceux qui ont choisi l'injustice, la tyrannie, la rapine entrent dans des corps de loups, de faucons, de milans. En quelle autre place, à notre avis, pourraient aller des âmes de cette nature ?

— A coup sûr, dit Cébès, c'est dans ces corps-là qu'elles vont.

— Pour les autres aussi, reprit-il, il est facile de voir où chacun d'eux va, en accord avec ses propres habitudes.

— Oui, dit-il; comment en serait-il autrement ?

— Ceux d'entre eux qui sont les plus heureux et qui vont à la meilleure place sont ceux qui ont pratiqué la vertu civile et sociale qu'on appelle tempérance et justice, et qui leur est venue par l'habitude et l'exercice, sans philosophie ni intelligence.

— Comment sont-ils les plus heureux ?

— Parce qu'il est naturel qu'ils reviennent dans une race sociale et douce comme eux, comme celle des abeilles, des guêpes, des fourmis, ou qu'ils rentrent dans la même race, la race humaine, où ils engendreront d'honnêtes gens.

— C'est naturel.

XXXII. — Mais pour entrer dans la race des dieux, cela n'est pas permis à qui n'a pas été philosophe et n'est point parti entièrement pur; ce droit n'appartient qu'à l'ami du savoir. C'est pour cela, chers Simmias et Cébès, que les vrais philosophes se gardent de toutes les passions du corps, leur résistent et ne s'y abandonnent pas, et ce n'est pas parce qu'ils craignent la ruine de leur maison et la pauvreté comme le vulgaire, ami de l'argent, ni parce qu'ils redoutent le déshonneur et l'obscurité de la misère, comme ceux qui aiment le pouvoir et les honneurs, ce n'est pas pour ces raisons qu'ils s'en gardent.

— C'est qu'en effet, Socrate, dit Cébès, cela ne leur siérait pas.

— Non, vraiment, par Zeus, dit Socrate. Voilà pourquoi, Cébès, ceux qui ont quelque souci de leur âme et ne vivent pas dans le culte de leur corps tournent le dos à tous ces gens-là et ne tiennent pas le même chemin, parce que ces gens ne savent pas où ils vont; mais persuadés eux-mêmes qu'il ne faut rien faire qui soit contraire à la philosophie, ni à l'affranchissement et à la purification qu'elle opère, ils prennent le chemin qu'elle leur indique et le suivent.

— Comment, Socrate?

XXXIII. — Je vais te le dire, repartit Socrate. Les amis de la science, dit-il, savent que, quand la philosophie a pris la direction de leur âme, elle était véritablement enchaînée et soudée à leur corps et forcée de considérer les réalités au travers des corps comme au travers des barreaux d'un cachot, au lieu de le faire seule et par elle-même, et qu'elle se vautrait dans une ignorance absolue. Et ce qu'il y a de terrible dans cet emprisonnement, la philosophie l'a fort bien vu, c'est qu'il est l'œuvre du désir, en sorte que c'est le prisonnier lui-même qui contribue le plus à serrer ses liens. Les amis de la science savent, dis-je, que la philosophie, qui a pris leur âme en cet état, l'encourage doucement, s'efforce de la délivrer, en lui montrant que, dans l'étude des réalités, le témoignage des yeux est plein d'illusions, plein d'illusions aussi celui des oreilles et des autres sens, en l'engageant à se séparer d'eux, tant qu'elle n'est pas forcée d'en faire usage, en l'exhortant à se recueillir et à se concentrer en elle-même et à ne se fier qu'à elle-même et à ce qu'elle a conçu elle-même par elle-même de chaque réalité en soi, et à croire qu'il n'y a rien de vrai dans ce qu'elle voit par d'autres moyens et qui

varie suivant la variété des conditions où il se trouve,
puisque les choses de ce genre sont sensibles et visibles,
tandis que ce qu'elle voit par elle-même est intelligible
et invisible.

— En conséquence, persuadée qu'il ne faut pas s'opposer à cette délivrance, l'âme du vrai philosophe se
tient à l'écart des plaisirs, des passions, des chagrins,
des craintes, autant qu'il lui est possible. Elle se rend
compte en effet que, quand on est violemment agité par
le plaisir, le chagrin, la crainte ou la passion, le mal
qu'on en éprouve, parmi ceux auxquels on peut penser,
comme la maladie ou les dépenses qu'entraînent les
passions, n'est pas aussi grand qu'on le croit, mais qu'on
est en proie au plus grand et au dernier des maux et qu'on
n'y prête pas attention.

— Quel est ce mal, Socrate ? demanda Cébès.

— C'est que toute âme humaine, en proie à un plaisir
ou à un chagrin violent, est forcée de croire que l'objet
qui est la principale cause de ce qu'elle éprouve est très
clair et très vrai, alors qu'il n'en est rien. Ces objets sont
généralement des choses visibles, n'est-ce pas ?

— Oui.

— Or n'est-ce pas quand elle est ainsi affectée que
l'âme est le plus strictement enchaînée par le corps ?

— Comment cela ?

— Parce que chaque plaisir et chaque peine a pour
ainsi dire un clou avec lequel il l'attache et la rive au
corps, la rend semblable à lui et lui fait croire que ce que
dit le corps est vrai. Or, du fait qu'elle partage l'opinion
du corps et se complaît aux mêmes plaisirs, elle est forcée,
je pense, de prendre les mêmes mœurs et la même
manière de vivre, et par suite elle est incapable d'arriver
jamais pure dans l'Hadès : elle est toujours contaminée
par le corps quand elle en sort. Aussi retombe-t-elle
promptement dans un autre corps, et elle y prend racine
comme une semence jetée en terre, et par suite elle est
privée du commerce de ce qui est divin, pur et simple.

— C'est très vrai, Socrate, dit Cébès.

XXXIV. — Voilà donc pour quelles raisons, Cébès, les
véritables amis du savoir sont tempérants et courageux,
et non pour les raisons que le vulgaire s'imagine. Est-ce
que tu penserais comme lui ?

— Moi ? non certes.

— Et tu fais bien : c'est comme je le dis que raisonne

l'âme du philosophe. Elle ne pense pas que la philosophie doive la délier pour qu'au moment où elle la délie, elle s'abandonne aux plaisirs et aux peines et se laisse enchaîner à nouveau et pour qu'elle s'adonne au travail sans fin de Pénélope défaisant sa toile. Au contraire, elle se ménage le calme du côté des passions, suit la raison et ne s'en écarte jamais, contemple ce qui est vrai, divin et ne relève pas de l'opinion, et s'en nourrit, convaincue que c'est ainsi qu'elle doit vivre, durant toute la vie, puis après la mort, s'en aller vers ce qui lui est apparenté et ce qui est de même nature qu'elle, délivrée des maux humains. Une âme ainsi nourrie, Simmias et Cébès, et qui a pratiqué ce détachement n'a pas du tout à craindre d'être mise en pièces en quittant le corps, et, dispersée par les vents, de s'envoler dans tous les sens et de n'être plus nulle part. »

XXXV. — Ces paroles de Socrate furent suivies d'un silence qui dura longtemps. Lui-même était visiblement absorbé par ce qui avait été dit au cours de l'entretien et la plupart d'entre nous l'étaient aussi. Cependant Cébès et Simmias s'entretenaient entre eux à voix basse. Socrate, s'en étant aperçu, s'adressa à tous les deux : « Hé! dit-il, peut-être trouvez-vous que ce que nous avons dit est insuffisant. Il reste en effet bien des doutes et des objections à examiner, si l'on veut approfondir comme il faut la question. Si c'est d'un autre sujet que vous vous occupez, je n'ai rien à dire. Mais si c'est à propos du nôtre que vous êtes embarrassés, n'hésitez pas à parler vous-mêmes et à vous expliquer, si vous pensez qu'il y a mieux à dire sur le sujet, et à votre tour, prenez-moi pour second, si vous croyez que je puisse vous aider à sortir d'embarras. »

A quoi Simmias répondit : « Je vais te dire la vérité, Socrate. Depuis un moment, chacun de nous, en proie au doute, pousse et engage l'autre à te poser une question, car nous avons grande envie de t'entendre, mais nous hésitons à te déranger, de peur que cela ne te soit désagréable dans ta situation. »

En entendant cela, Socrate se prit à rire doucement et dit : « Parbleu, Simmias, j'aurais vraiment de la peine à persuader aux autres hommes que je ne regarde pas ce qui m'arrive comme un malheur, quand je ne puis même pas vous en persuader vous-mêmes, et quand vous avez peur de me trouver d'humeur plus chagrine

que dans ma vie passée. A ce que je vois, vous me croyez
inférieur aux cygnes pour la divination. Quand ils
sentent approcher l'heure de leur mort, les cygnes chantent
ce jour-là plus souvent et plus mélodieusement qu'ils
ne l'ont jamais fait, parce qu'ils sont joyeux de s'en
aller chez le dieu dont ils sont les serviteurs. Mais les
hommes, par suite de leur crainte de la mort, vont jusqu'à calomnier les cygnes et disent qu'ils déplorent
leur trépas par un chant de tristesse. Ils ne réfléchis-
sent pas qu'aucun oiseau ne chante quand il a faim ou
froid ou qu'il est en butte à quelque autre souffrance,
non pas même le rossignol, l'hirondelle et la huppe [75],
qui chantent, dit-on, pour lamenter leur douleur. Mais
moi, je ne crois pas qu'ils chantent de tristesse, pas plus
que les cygnes ; je pense, au contraire, qu'étant les oiseaux
d'Apollon, ils sont devins et que c'est parce qu'il pré-
voient les biens dont on jouit dans l'Hadès, qu'ils chantent et se réjouissent ce jour-là plus qu'ils ne l'ont jamais
fait pendant leur vie. Or je me persuade que je suis
moi-même attaché au même service que les cygnes,
que je suis consacré au même dieu, que je tiens de notre
maître un don prophétique qui ne le cède pas au leur,
et que je ne suis pas plus chagrin qu'eux de quitter la
vie. C'est pourquoi, à cet égard, vous n'avez qu'à parler
et à faire toutes les questions qu'il vous plaira, tant que
les onze des Athéniens le permettront.

— Voilà qui est parfait, dit Simmias. Je vais donc te
proposer mes doutes et Cébès à son tour te dira en quoi
il n'approuve pas ce qui a été dit. Je crois, Socrate, et
sans doute, toi aussi, qu'en pareille matière il est impossible ou extrêmement difficile de savoir la vérité dans
la vie présente ; néanmoins ce serait faire preuve d'une
extrême mollesse de ne pas soumettre ce qu'on en dit à
une critique détaillée et de quitter prise avant de s'être
fatigué à considérer la question dans tous les sens. Car on
est réduit ici à l'alternative ou d'apprendre ou de découvrir ce qui en est, ou, si c'est impossible, de choisir, parmi
les doctrines humaines, la meilleure et la plus difficile à
réfuter et, s'embarquant sur elle comme sur un radeau, de
se risquer à faire ainsi la traversée de la vie, à moins qu'on
ne puisse la faire sûrement et avec moins de danger sur un
véhicule plus solide, je veux dire sur une révélation divine.
Ainsi, même en ce moment, je n'aurai pas de honte à te
questionner, puisque aussi bien tu m'y invites, et je ne me
reprocherai pas dans la suite de n'avoir pas dit aujour-

d'hui ce que je pense; car pour moi, Socrate, quand je repasse ce qui a été dit, soit seul, soit avec Cébès, cela ne me paraît pas entièrement satisfaisant.

XXXVI. — Il se peut, camarade, reprit Socrate, que ton impression soit juste; mais dis-moi ce qui ne te satisfait pas.

— C'est que, répondit Simmias, on pourrait dire la même chose de l'harmonie d'une lyre et de la lyre elle-même et de ses cordes, que l'harmonie est quelque chose d'invisible, d'incorporel, de parfaitement beau et de divin dans la lyre accordée, et que la lyre elle-même et ses cordes sont des corps, de la matière, des choses composées, ter-reuses, apparentées à la nature mortelle. Supposons maintenant qu'on brise la lyre ou que l'on en coupe ou casse les cordes, puis qu'on soutienne avec ta manière de raisonner que cette harmonie doit nécessairement exister encore et qu'elle n'est point détruite; car il est impossible, quand les cordes sont brisées, que la lyre avec ses cordes qui sont de nature mortelle existe encore, et que l'harmonie, qui est de même nature et de même famille que le divin et l'immortel, soit détruite et qu'elle ait péri avant ce qui est mortel. Non, dirait-on, il est de toute nécessité que l'harmonie elle-même subsiste encore quelque part et que le bois et les cordes soient entière-ment pourris avant qu'il lui arrive quoi que ce soit. Toi-même, Socrate, tu sais fort bien, je pense, que l'idée que nous nous faisons de l'âme revient à peu près à ceci : de même que notre corps est tendu et maintenu par le chaud, le froid, le sec, l'humide et certaines choses du même genre, l'âme est un mélange et une harmonie de ces mêmes éléments, quand ils ont été combinés dans une mesure convenable et juste. Or, si l'âme est réellement une harmonie, il est clair que, lorsque le corps est relâché ou tendu démesurément par les maladies ou d'autres maux, il faut nécessairement que l'âme, en dépit de sa nature toute divine, périsse aussitôt comme les autres harmonies, qui sont dans les sons et dans tous les ouvrages des artisans, tandis que les restes de chaque corps durent fort longtemps, jusqu'à ce qu'ils soient brûlés ou réduits en putréfaction. Vois donc ce que nous pourrons répondre à cette argumentation, si l'on prétend que notre âme, étant un mélange des qualités du corps, périt la première dans ce qu'on appelle la mort.

XXXVII. — Socrate alors, promenant ses regards sur nous, comme il en avait l'habitude, sourit et dit : « Il est certain que l'objection de Simmias ne manque pas de justesse. Si donc l'un de vous a l'esprit plus agile que moi, qu'il réponde sur-le-champ, car Simmias paraît avoir porté un rude coup à l'argument. Il me semble pourtant qu'avant de lui répondre il faut encore entendre ce que Cébès de son côté reproche à l'argument; nous gagnerons ainsi du temps pour réfléchir à ce que nous répondrons. Puis, quand nous les aurons entendus, nous passerons de leur côté, si nous trouvons qu'ils ont touché la note juste; sinon, nous entreprendrons alors de défendre l'argument. Allons, Cébès, ajouta-t-il, dis-nous ce qui t'a troublé et provoqué ta défiance.

— Voici, dit Cébès. Il me paraît que la question en est encore au même point et sujette au même reproche que je lui faisais précédemment. Que notre âme ait existé déjà avant d'entrer dans cette forme humaine, je ne reviens pas sur ce point : il a été fort élégamment et, s'il n'y a pas d'outrecuidance à le dire, parfaitement bien démontré; mais qu'elle subsiste encore quelque part, quand nous sommes morts, c'est de quoi je ne suis pas convaincu. Cependant je ne me rends pas à l'objection de Simmias, qui prétend que l'âme n'est pas plus forte et plus durable que le corps; car je crois que, sous tous ces rapports, elle l'emporte infiniment sur lui. « Alors pourquoi, pourrait dire l'argument, es-tu encore incré- dule, quand tu vois qu'après que l'homme est mort, la partie la plus faible de lui-même subsiste encore ? Ne crois-tu pas que la partie la plus forte doit subsister aussi dans le même temps ? » Vois si ma réplique à cette ques- tion a quelque force. M'est avis qu'il me faut, comme Simmias, recourir à une comparaison. Il me semble qu'en parlant de la sorte, c'est comme si l'on tenait sur un vieux tisserand qui serait mort le propos que voici : « Le bonhomme n'a point péri, il existe sain et sauf quelque part », et l'on montrerait comme preuve le vête- ment qu'il portait et qu'il avait tissé lui-même, en faisant voir que ce vêtement est sain et sauf et qu'il n'a point péri. Et si quelqu'un refusait de se rendre à cette raison, on lui demanderait quel est le genre le plus durable, celui de l'homme ou de l'habit dont il se sert et qu'il porte, et, quand il aurait répondu que c'est le genre de l'homme qui est de beaucoup le plus durable, on croirait avoir démontré que l'homme est certainement sain et sauf, puisque ce qui était moins durable que lui n'a point péri.

Mais la réalité, Simmias, est, à mon avis, tout autre. Fais attention, toi aussi, à ce que je dis. Le premier venu peut comprendre la sottise d'un pareil raisonnement. Car ce tisserand, après avoir usé un grand nombre de ces vêtements tissés par lui-même, est mort après eux, tout nombreux qu'ils étaient, mais, je pense, avant le dernier, et un homme n'est pas pour cela plus chétif ni plus faible qu'un habit. Cette image s'appliquerait bien, je pense, à l'âme et au corps, et il serait juste de dire d'eux que l'âme dure longtemps et que le corps est plus faible et moins durable; car on pourrait dire que chaque âme use plusieurs corps, surtout si la vie dure de longues années; si en effet le corps s'écoule et se dissout, pendant que l'homme vit encore, mais que l'âme retisse toujours ce qui est usé, il s'ensuit nécessairement que, quand l'âme vient à périr, elle porte le dernier vêtement qu'elle a tissé et que c'est le seul avant lequel elle meurt, tandis que, quand l'âme a péri, le corps montre tout de suite sa faiblesse naturelle et se dissout vite en pourrissant. Par conséquent nous ne sommes pas encore en droit d'avoir confiance, sur la foi de cet argument, qu'après notre mort notre âme subsiste encore quelque part.

Si en effet on accordait à celui qui soutient cette opinion plus encore que tu ne le fais toi-même, si on lui accordait non seulement que nos âmes ont existé dans le temps qui a précédé notre naissance, mais que rien n'empêche, même après notre mort, quelques-unes d'exister encore, de prolonger leur existence, de naître plusieurs fois et de mourir de nouveau, parce que l'âme est naturellement assez forte pour résister à plusieurs naissances; si on accordait cela, mais qu'on refusât d'accorder qu'elle ne se fatigue pas dans ses nombreuses naissances et qu'elle ne finit point par périr tout à fait dans une de ses morts; si l'on ajoutait que cette mort et cette dissolution du corps qui porte à l'âme le coup fatal, personne ne la connaît, car il est impossible à qui que ce soit d'entre nous d'en avoir le sentiment, en ce cas tout homme qui affronterait la mort avec confiance, serait un insensé, à moins de pouvoir démontrer que l'âme est absolument immortelle et impérissable. Autrement l'homme qui va mourir doit toujours craindre que son âme ne périsse radicalement au moment où elle se sépare du corps. »

XXXVIII. — Leurs discours produisirent sur nous une impression désagréable, comme nous l'avouâmes plus tard entre nous : fortement convaincus par le raisonnement antérieur, nous nous sentions de nouveau troublés par eux et précipités dans le doute, à l'égard non seulement de ce qui avait été dit jusqu'ici, mais encore de ce qu'on allait dire ensuite ; nous avions peur d'être de mauvais juges, ou que les choses elles-mêmes ne pussent être prouvées.

ÉCHÉCRATE

Par les dieux, Phédon, je vous excuse ; car moi-même, après t'avoir entendu, je me prends à me dire : « En quel argument aurons-nous foi désormais, quand celui de Socrate, qui était si convaincant, est à présent tombé dans le discrédit ? » En effet, cette opinion que notre âme est une espèce d'harmonie a toujours eu et a encore aujourd'hui une merveilleuse prise sur moi, et l'exposé qu'on en a fait m'a fait souvenir que, moi aussi, j'avais jusqu'à présent été de cet avis. C'est donc à recommencer pour moi et j'ai grand besoin d'une nouvelle preuve pour me persuader que l'âme du mort ne meurt pas avec lui. Dis-moi donc, au nom de Zeus, comment Socrate poursuivit la dispute, si lui aussi, comme tu le dis de vous, parut, ou non, contrarié ; s'il se porta doucement au secours de son argument ; enfin si le secours qu'il lui porta fut efficace ou insuffisant. Raconte-nous tout en détail aussi exactement que tu le pourras.

PHÉDON

Je puis dire, Échécrate, que Socrate m'a souvent étonné ; mais je ne l'ai jamais plus admiré qu'en cette circonstance où j'étais à ses côtés. Qu'il eût de quoi répondre, il n'y avait sans doute là rien de surprenant de la part d'un homme comme lui ; mais ce que moi j'admirai le plus, c'est la bonne grâce, la bienveillance, la déférence avec lesquelles il accueillit les objections de ces jeunes gens, puis la sagacité avec laquelle il se rendit compte de l'impression qu'elles avaient faite sur nous, et ensuite l'habileté avec laquelle il guérit nos inquiétudes et, nous rappelant comme des fuyards et des vaincus, nous ramena face à l'argument pour le suivre et l'examiner avec lui.

ÉCHÉCRATE

Comment s'y prit-il ?

PHÉDON

Je vais te le dire. J'étais assis à sa droite, près de son lit, sur un siège bas, et lui à une place beaucoup plus élevée que la mienne. Il me caressa la tête et prenant dans sa main les cheveux qui pendaient sur mon cou, car c'était son habitude de jouer avec mes cheveux, quand il en avait l'occasion : « Demain, Phédon, dit-il, tu feras sans doute couper ces beaux cheveux-là ?

— Apparemment, Socrate, répondis-je.

— Non pas, si tu m'en crois.

— Alors, que veux-tu que je fasse ? demandai-je.

— C'est aujourd'hui, dit-il, que je ferai couper les miens et toi les tiens, si notre argument meurt et que nous ne puissions pas le ramener à la vie. Moi, si j'étais toi et si l'argument m'échappait, je ferais le serment, comme les Argiens, de ne pas laisser pousser mes cheveux avant d'avoir repris les armes et vaincu le raisonnement de Simmias et de Cébès.

— Mais contre deux, Héraclès lui-même, dit-on, n'est pas de force [76].

— Eh bien, reprit-il, suppose que je suis Ioléos et appelle-moi à l'aide, tandis qu'il fait encore jour.

— Je t'y appelle donc, non comme Héraclès, mais comme Ioléos appelant Héraclès.

— Peu importe, dit-il.

XXXIX. — Mais avant tout mettons-nous en garde contre un danger.

— Lequel ? dis-je.

— C'est, dit-il, de devenir misologues, comme on devient misanthrope; car il ne peut rien arriver de pire à un homme que de prendre en haine les raisonnements. Et la misologie vient de la même source que la misanthropie. Or la misanthropie se glisse dans l'âme quand, faute de connaissance, on a mis une confiance excessive en quelqu'un que l'on croyait vrai, sain et digne de foi, et que, peu de temps après, on découvre qu'il est méchant et faux, et qu'on fait ensuite la même expérience sur un autre. Quand cette expérience s'est renouvelée souvent, en particulier pour ceux qu'on regardait comme ses plus intimes amis et ses meilleurs camarades, on finit, à force d'être choqué, par prendre tout le monde en aversion et par croire qu'il n'y a absolument rien de sain chez personne. N'as-tu pas remarqué toi-même que c'est ce qui arrive ?

— Si, dis-je.

— N'est-ce pas une honte ? reprit-il. N'est-il pas clair
que, lorsqu'un tel homme entre en rapport avec les
hommes, il n'a aucune connaissance de l'humanité ; car
s'il en avait eu quelque connaissance, en traitant avec
eux, il aurait jugé les choses comme elles sont, c'est-à-dire
que les gens tout à fait bons et les gens tout à fait
méchants sont en petit nombre les uns et les autres, et
ceux qui tiennent le milieu en très grand nombre.

— Comment l'entends-tu ? demandai-je.

— Comme on l'entend, dit-il, des hommes extrêmement petits et des hommes extrêmement grands. Crois-
tu qu'il y ait quelque chose de plus rare que de trouver un
homme extrêmement grand ou petit, et de même
chez un chien ou en toute autre chose ? ou encore un
homme extrêmement lent ou rapide, beau ou laid,
blanc ou noir ? N'as-tu pas remarqué qu'en tout cela
les extrêmes sont rares et peu nombreux et que les
entre-deux abondent et sont en grand nombre ?

— Si, dis-je.

— Ne crois-tu pas, ajouta-t-il, que, si l'on proposait
un concours de méchanceté, ici encore on verrait que les
premiers seraient en fort petit nombre ?

— C'est vraisemblable, dis-je.

— Oui, c'est vraisemblable, reprit Socrate ; mais ce
n'est pas en cela que les raisonnements ressemblent aux
hommes — c'est toi qui tout à l'heure m'as jeté sur ce
sujet et je t'ai suivi —; mais voici où est la ressemblance.
Quand on a cru, sans connaître l'art de raisonner, qu'un
raisonnement est vrai, il peut se faire que peu après on le
trouve faux, alors qu'il l'est parfois et parfois ne l'est pas,
et l'expérience peut se renouveler sur un autre et un
autre encore. Il arrive notamment, tu le sais, que ceux qui ont
passé leur temps à controverser finissent par s'imaginer
qu'ils sont devenus très sages et que, seuls, ils ont découvert qu'il n'y a rien de sain ni de sûr ni dans aucune
chose ni dans aucun raisonnement, mais que tout est dans
un flux et un reflux continuels, absolument comme dans
l'Euripe [77], et que rien ne demeure un moment dans le
même état.

— C'est parfaitement vrai, dis-je.

— Alors, Phédon, reprit-il, s'il est vrai qu'il y ait
des raisonnements vrais, solides et susceptibles d'être
compris, ne serait-ce pas une triste chose de voir un
homme qui, pour avoir entendu des raisonnements qui,

tout en restant les mêmes, paraissent tantôt vrais, tantôt
faux, au lieu de s'accuser lui-même et son incapacité,
en viendrait par dépit à rejeter la faute sur les raisonnements, au lieu de s'en prendre à lui-même, et dès lors
continuerait toute sa vie à haïr et ravaler les raisonnements et serait ainsi privé de la vérité et de la connaissance
de la réalité ?

— Oui, par Zeus, dis-je, ce serait une triste chose.

XL. — Prenons donc garde avant tout, reprit-il, que ce
malheur ne nous arrive. Ne laissons pas entrer dans
notre âme cette idée qu'il pourrait n'y avoir rien de sain
dans les raisonnements ; persuadons-nous bien plutôt
que c'est nous qui ne sommes pas encore sains et qu'il
faut nous appliquer virilement à le devenir, toi et les
autres, en vue de tout le temps qui vous reste à vivre,
et moi en vue de la mort seule ; car, au sujet même
de la mort, je crains bien en ce moment de n'avoir pas
l'esprit philosophique, et d'être contentieux comme les
gens dénués de toute culture. Quand ces gens-là débat-
tent quelque question, ils ne s'inquiètent pas de savoir
ce que sont les choses dont ils parlent ; ils n'ont d'autre
visée que de faire accepter à la compagnie la thèse qu'ils
ont mise en avant. Dans le cas présent, je ne vois entre
eux et moi qu'une seule différence, c'est que mes efforts
ne viseront pas à faire croire à la compagnie que ce que
je dis est vrai — ce n'est là pour moi que l'accessoire —
mais à me le faire croire autant que possible à moi-même.
Voici, cher camarade, quel est mon calcul ; vois combien
il est intéressé : si ce que j'avance est vrai, combien
il m'est avantageux de m'en persuader ! si au contraire
il n'y a rien après la mort, je serai moins tenté, pendant
le temps qui m'en sépare, d'ennuyer la compagnie
de mes lamentations. Au reste, cette ignorance ne durera
pas longtemps, car ce serait un mal ; mais elle finira
bientôt. C'est dans cette disposition d'esprit, Simmias
et Cébès, que j'aborde la discussion. Pour vous, si vous
m'en croyez, faites peu d'attention à Socrate, mais
beaucoup plus à la vérité : si vous trouvez que je dis
quelque chose de vrai, convenez-en ; sinon, résistez de
toutes vos forces et prenez garde que par excès de
zèle je n'abuse à la fois vous et moi-même, et ne m'en
aille en laissant, comme l'abeille, mon aiguillon en
vous.

XLI. — Maintenant à l'œuvre ! poursuivit-il. Rappelez-moi d'abord ce que vous avez dit, si vous voyez que je ne m'en souviens pas. Simmias, si je ne me trompe, a des doutes et craint que l'âme, quoique plus divine et plus belle que le corps, ne périsse la première, puisqu'elle est une espèce d'harmonie. Quant à Cébès, il m'a paru qu'il m'accordait que l'âme est plus durable que le corps, mais il a dit que personne ne sait si l'âme, après avoir usé un grand nombre de corps en maintes incarnations, ne périt pas elle-même quand elle a quitté le dernier, et si ce n'est pas justement en la destruction de l'âme que consiste la mort, puisque le corps ne cesse pas un moment de périr. N'est-ce pas exactement cela, Simmias et Cébès, que nous avons à examiner ?

— Ils convinrent tous les deux que c'était bien cela.

— Est-ce que, continua-t-il, vous rejetez tous les arguments précédents, ou seulement les uns, et pas les autres ?

— Les uns, oui, dirent-ils tous deux, les autres non.

— Maintenant, reprit-il, que pensez-vous de celui où nous disions qu'apprendre, c'est se souvenir, et que, s'il en est ainsi, il faut nécessairement que notre âme ait existé quelque part ailleurs, avant d'être enchaînée dans le corps ?

— Pour moi, dit Cébès, il m'a merveilleusement persuadé alors, et, à présent encore, j'y suis attaché, autant qu'on peut l'être à un argument.

— Moi aussi, dit Simmias, je suis du même sentiment et je serais bien surpris si j'en changeais jamais sur ce point. »

Alors Socrate : « Eh bien, dit-il, étranger de Thèbes, il faut que tu en changes, si tu persistes dans ton opinion que l'harmonie est une chose composée et que l'âme est une espèce d'harmonie qui résulte des éléments tendus comme des cordes dans le corps ; car tu ne peux pas, je pense, t'approuver toi-même, si tu dis qu'il existait une harmonie composée avant les choses dont elle devait être formée. Le peux-tu ?

— En aucune manière, Socrate, dit-il.

— Ne t'aperçois-tu pas, reprit-il, que c'est justement ce que tu dis, quand tu affirmes que l'âme existait déjà avant d'entrer dans une forme et un corps d'homme et en même temps qu'elle est composée d'éléments qui n'existent pas encore. Car l'harmonie ne ressemble pas à l'âme à laquelle tu la compares ; mais la lyre, les cordes et les sons

encore discordants existent les premiers; l'harmonie ne
vient qu'après tout le reste et périt la première. Comment
accorder ce langage avec ta première assertion ?

— C'est impossible, dit Simmias.

— Pourtant, reprit Socrate, s'il convient d'accorder
ce qu'on dit, c'est bien quand on parle d'harmonie.

— Oui, en effet, dit Simmias.

— Or, reprit Socrate, il n'y a pas d'accord en ce que tu
dis. Mais vois un peu laquelle des deux assertions tu
préfères, celle que la science est réminiscence, ou celle que
l'âme est une harmonie.

— C'est la première, Socrate, et de beaucoup, car
l'idée de la deuxième m'est venue sans démonstration :
elle m'a paru vraisemblable et spécieuse, et c'est pour
cette raison que la plupart des hommes la tiennent pour
juste. Pour moi, j'ai conscience que les arguments qui
fondent leurs démonstrations sur des vraisemblances sont
des imposteurs, et que si l'on n'est pas en garde contre
eux, ils vous abusent bel et bien, et en géométrie et en
toute autre matière. Au contraire, l'argument relatif à la
réminiscence et à la science a été établi sur une hypothèse
qui mérite d'être admise. On a dit en effet que notre âme
existait déjà avant d'entrer dans un corps de la même
manière qu'existe son essence, désignée sous le nom de
« ce qui est », et cette essence j'ai eu, j'en suis persuadé,
parfaitement raison d'admettre qu'elle existe. Ces raisons
me forcent, à ce qu'il me semble, à n'approuver ni moi ni
personne qui soutiendrait que l'âme est une harmonie.

XLII. — Mais considérons la question, Simmias, dit
Socrate, d'une autre façon. Crois-tu qu'il convienne à
une harmonie ou à quelque autre composition de se
comporter d'une autre manière que les éléments dont
elle est composée ?

— Pas du tout.

— Il ne lui convient pas non plus, je pense, de rien
faire ni de rien souffrir en dehors de ce que font et supportent ces éléments ?

— Il en convint.

— Il ne convient donc pas que l'harmonie conduise
les éléments dont elle a été formée, mais qu'elle les suive.

— Il fut de cet avis.

— Il s'en faut donc de beaucoup que l'harmonie ait
des mouvements, des sons ou quoi que ce soit de contraire
aux parties qui la composent.

— De beaucoup, certainement, dit-il.

— Mais quoi ? chaque harmonie n'est-elle pas naturellement harmonie selon qu'elle a été harmonisée ?

— Je ne comprends pas, dit-il.

— N'est-il pas vrai, reprit Socrate, que, si elle a été mieux harmonisée et dans une proportion plus grande, si la chose est possible, elle est davantage harmonie et plus grande harmonie ; que si, au contraire, elle a été moins bien harmonisée et dans une moindre proportion, elle est moins harmonie et harmonie plus petite ?

— C'est très juste.

— Et maintenant, en est-il ainsi de l'âme ? Une âme peut-elle être, si peu que ce soit, plus âme et dans une plus grande proportion qu'une autre âme, ou être moins et dans une moindre proportion ce qu'est précisément une âme ?

— Pas le moins du monde, dit-il.

— Poursuivons donc, par Zeus, reprit Socrate. On dit d'une âme qu'elle a de l'intelligence et de la vertu et qu'elle est bonne, d'une autre qu'elle a de la sottise et de la méchanceté et qu'elle est mauvaise. A-t-on raison de le dire ?

— Certainement on a raison.

— Dès lors, si l'on admet que l'âme est une harmonie, que dira-t-on que sont ces qualités qui existent dans l'âme, j'entends la vertu et le vice ? Dira-t-on que c'est encore une autre sorte d'harmonie ou un défaut d'harmonie ? que l'une de ces âmes a été harmonisée, la bonne, et qu'elle contient en elle, qui est déjà une harmonie, une harmonie supplémentaire, et que l'autre est elle-même dépourvue d'harmonie et n'en a pas une autre en elle ?

— Je ne saurais le dire, moi, mais il est évident que c'est à peu près ce que dirait l'auteur de cette théorie.

— Mais, reprit Socrate, nous sommes déjà tombés d'accord qu'une âme ne saurait absolument être plus ou moins qu'une autre âme, ce qui revient à dire qu'une harmonie ne saurait absolument être ni plus grande ni plus étendue qu'une autre harmonie. N'est-ce pas cela ?

— Si.

— Et que cette harmonie n'étant en rien ni plus ni moins harmonie, n'est ni plus ni moins harmonisée. Est-ce exact ?

— Oui.

— Or cette harmonie, qui n'est ni plus ni moins harmonisée, a-t-elle en quoi que ce soit plus de part à l'harmonie, on en participe-t-elle également ?

— Oui, également.

— Par conséquent l'âme, puisqu'une âme n'est ni plus ni moins que ce qu'est l'âme elle-même, n'est pas, non plus, ni plus ni moins harmonisée.

— Non.

— Dans ces conditions, elle ne saurait avoir plus de part ni à la dissonance ni à l'harmonie.

— Non, en effet.

— Dans ces conditions encore, est-ce qu'une âme peut avoir plus de part qu'une autre au vice ou à la vertu, s'il est vrai que le vice soit dissonance et la vertu harmonie ?

— Elle ne le peut en aucune façon.

— Bien mieux, Simmias, à parler exactement, aucune âme n'aura part au vice, si elle est une harmonie; car il est hors de doute qu'une harmonie, si elle est pleinement ce qu'est une harmonie, n'aura jamais part à la dissonance.

— Certainement non.

— Ni l'âme non plus, n'est-ce pas, si elle est pleinement une âme, n'aura de part au vice ?

— Comment en effet le pourrait-elle, d'après ce que nous avons dit ?

— En vertu de ce raisonnement, nous tiendrons donc toutes les âmes de tous les êtres vivants pour également bonnes, si les âmes sont également ce qu'elles sont naturellement, je veux dire des âmes.

— Il me le semble, Socrate, dit-il.

— Te semble-t-il aussi, demanda Socrate, que ce soit bien parler, et que notre argumentation fût arrivée à cette conclusion, si l'hypothèse que l'âme est une harmonie était juste ?

— Pas du tout, dit-il.

XLIII. — Autre chose, reprit Socrate. De toutes les parties de l'homme, en connais-tu quelque autre qui commande, en dehors de l'âme, surtout quand elle est sage ?

— Moi, non.

— Crois-tu qu'elle cède aux affections du corps ou qu'elle leur résiste ? Voici ce que je veux dire : si, par exemple, le corps a chaud et soif, elle le tire en arrière, pour qu'il ne boive pas; s'il a faim, pour qu'il ne mange

pas, et dans mille autres circonstances nous voyons l'âme
s'opposer aux passions du corps. N'est-ce pas vrai ?

— Tout à fait vrai.

— D'un autre côté, ne sommes-nous pas tombés d'accord précédemment que l'âme, si elle était une harmonie,
ne saurait être en dissonance avec les tensions, les relâche-
ments, les vibrations et autres états des éléments qui la
composent, mais qu'elle les suivrait et ne saurait jamais
les commander ?

— Nous en sommes tombés d'accord, dit-il ; comment
faire autrement ?

— Eh bien, ne voyons-nous pas à présent qu'elle fait
tout le contraire, qu'elle dirige tous ces éléments dont on
prétend qu'elle est formée, qu'elle les contrarie presque en
tout pendant toute la vie et qu'elle les maîtrise de toutes
façons, infligeant aux uns des châtiments plus pénibles
et plus douloureux, ceux de la gymnastique et de la méde-
cine, aux autres des traitements plus doux, menaçant
ceux-ci, admonestant ceux-là, et parlant aux passions,
aux colères, aux craintes, comme si, différente d'elles,
elle parlait à des êtres différents ? C'est ainsi qu'Homère
a représenté la chose dans l'*Odyssée*, où il dit qu'Ulysse,
Se frappant la poitrine, gourmanda son cœur en ces
    termes :
« *Supporte-le, mon cœur ; tu as déjà supporté des choses*
    plus révoltantes [78]. »
Crois-tu qu'en composant ces vers, il pensât que l'âme
était une harmonie, faite pour se laisser conduire par les
affections du corps ? Ne pensait-il pas plutôt qu'elle
était faite pour les conduire et les maîtriser, et qu'elle
était elle-même une chose beaucoup trop divine pour
être une harmonie ?

— Par Zeus, Socrate, c'est bien mon avis.

— Ainsi donc, mon excellent ami, il ne nous sied
en aucune manière de dire que l'âme est une espèce
d'harmonie ; car nous ne serions d'accord, tu le vois,
ni avec Homère, ce poète divin, ni avec nous-mêmes.

— C'est vrai, dit-il.

XLIV. — C'en est fait, reprit Socrate : Harmonie la
thébaine [79] nous est devenue, ce semble, assez propice ;
mais Cadmos, Cébès, continua-t-il, comment le gagner
et par quel argument ?

— Je suis sûr que tu le trouveras, dit Cébès ; en tout
cas, ton argumentation contre l'harmonie a merveilleu-

sement dépassé mon attente. Quand Simmias te proposait ses difficultés, je doutais fort qu'on pût réfuter sa
théorie ; aussi ai-je été étrangement surpris de la voir
céder tout de suite au premier choc de la tienne. Je ne
serais pas étonné que celle de Cadmos ait le même sort.

— Mon bon ami, repartit Socrate, n'exagère pas, de
peur que quelque mauvais œil ne mette en déroute
le discours qui va venir. Mais cela, c'est l'affaire
des dieux. Pour nous, attaquons de près, comme dit
Homère [80], pour éprouver ce que vaut la théorie. Ce que tu
cherches se résume en ceci. Tu veux qu'on démontre
que notre âme est impérissable et immortelle, pour
qu'un philosophe qui va mourir puisse être rassuré et
croire qu'après sa mort il sera plus heureux là-bas que
s'il mourait après avoir mené un autre genre de vie,
sans montrer en cela une audace déraisonnable et folle.
On démontre bien que l'âme est quelque chose de fort
et de semblable à la divinité et qu'elle a existé avant
que nous fussions des hommes ; mais cela n'empêche
pas, dis-tu, que tout cela ne prouve rien pour l'immortalité ; cela prouve seulement que l'âme est quelque chose
de durable, qu'elle a existé quelque part avant nous
durant un temps illimité, qu'elle savait et faisait beaucoup de choses, sans être immortelle pour cela, et que le
fait même d'entrer dans un corps humain est pour elle
le commencement de sa perte et une sorte de maladie,
qu'elle se fatigue à vivre de cette vie humaine et qu'elle
périt à la fin dans ce qu'on appelle la mort. Il n'importe
en rien, dis-tu, qu'elle entre dans un corps une ou plusieurs
fois, au moins pour ce que nous craignons tous ; car on a
raison de craindre, à moins d'être insensé, quand on ne
sait pas si elle est immortelle et qu'on ne peut le démontrer. Voilà à peu près, je crois, ce que tu soutiens, Cébès,
et c'est à dessein que j'y reviens plusieurs fois, pour
que rien ne nous échappe et que tu puisses, si tu veux,
y ajouter ou en retrancher quelque chose.

— Moi, dit Cébès, je n'ai, pour le moment, rien à
retrancher, ni à ajouter : c'est bien là ce que je soutiens. »

XLV. — Là-dessus, Socrate fit une longue pause,
occupé à réfléchir par devers lui. Enfin il reprit : « Ce
n'est pas une petite affaire que tu demandes là, Cébès ;
car elle exige une investigation complète sur la cause de
la génération et de la corruption. Je vais te raconter, si
tu veux, mes propres expériences en ces matières ; si,

parmi les choses que je vais dire, il en est qui te paraissent utiles, tu les emploieras pour nous persuader tes sentiments.

— Certainement, je le veux, dit Cébès.

— Écoute donc mon exposé. Dans ma jeunesse, Cébès, dit-il, j'avais conçu un merveilleux désir de cette science qu'on appelle la physique. Il me semblait que c'était une chose magnifique de connaître la cause de chaque chose, ce qui la fait être, ce qui la fait périr, ce qui la fait exister. Et souvent je me suis mis la cervelle à la torture pour étudier des questions comme celles-ci : Est-ce lorsque le chaud et le froid ont subi une sorte de fermentation que, comme le disaient quelques-uns [81], les êtres vivants se forment ? Est-ce le sang qui fait la pensée [82], ou l'air [83], ou le feu [84], ou aucun de ces éléments, et n'est-ce pas le cerveau [85] qui nous donne les sensations de l'ouïe, de la vue et de l'odorat ? N'est-ce pas de ces sensations que naissent la mémoire et l'opinion, et n'est-ce pas de la mémoire et de l'opinion, une fois devenues calmes, que naît la science ? Je cherchais aussi à connaître les causes de corruption de tout cela ainsi que les phénomènes célestes et terrestres. Mais à la fin je découvris que pour ce genre de recherche j'étais aussi mal doué qu'on peut l'être. Et je vais t'en donner une preuve sensible. Il y a des choses qu'auparavant je savais clairement, il me le semblait du moins à moi-même et aux autres. Eh bien, cette étude me rendit aveugle au point que je désappris même ce que j'avais cru savoir jusque-là sur beaucoup de choses et en particulier sur la croissance de l'homme. Avant ce moment, je croyais qu'il était évident pour tout le monde qu'il croissait par le manger et le boire ; que, lorsque, par la nourriture, des chairs s'étaient ajoutées aux chairs, des os aux os, et de même aux autres parties les choses appropriées à chacune d'elles, alors la masse qui était petite devenait ensuite volumineuse et que c'était ainsi que l'homme, de petit, devenait grand. Voilà ce que je pensais alors. Cela ne te paraît-il pas raisonnable ?

— Si, répondit Cébès.

— Examine encore ceci. Je croyais qu'il était suffisant de savoir, en voyant un homme grand, debout à côté d'un homme petit, qu'il le dépassait juste de la tête, et ainsi d'un cheval auprès d'un autre cheval, et que, pour prendre des exemples encore plus clairs que les précédents, le nombre dix me paraissait être plus grand que le nombre huit, parce que le nombre deux s'ajoutait à huit, et la double coudée plus grande que la coudée, parce qu'elle la dépassait de la moitié.

— Et maintenant, demanda Cébès, qu'en penses-tu ?

— Je suis loin, par Zeus, répondit Socrate, de croire que je connais la cause de l'une quelconque de ces choses ; car je n'arrive même pas à reconnaître, quand à un on a ajouté un, si c'est l'un auquel on a ajouté qui est devenu deux, ou si c'est celui qui a été ajouté et celui auquel on l'a ajouté qui sont devenus deux par l'addition de l'un à l'autre. Car c'est pour moi un sujet d'étonnement de voir que, lorsque chacun d'eux était à part de l'autre, chacun était naturellement un et n'était pas deux alors, et que, quand ils se sont rapprochés l'un de l'autre, ils sont devenus deux pour cette raison que la réunion les a mis l'un près de l'autre. Je ne peux pas davantage me persuader que, si l'on coupe l'unité en deux, ce fait de la division ait été aussi la cause qu'elle est devenue deux ; car voilà une cause contraire à celle qui tout à l'heure nous donnait deux ; tout à l'heure, c'est parce qu'ils étaient réunis l'un près de l'autre et ajoutés l'un à l'autre, et maintenant c'est parce que l'un est ôté et séparé de l'autre. Je ne puis plus croire non plus que je sais par quoi un est engendré, ni en un mot par quoi n'importe quelle autre chose naît, périt ou existe ; c'est l'effet de ma première méthode ; mais je me hasarde à en embrasser moi-même une autre et je repousse absolument la première.

XLVI. — Mais un jour, ayant entendu quelqu'un lire dans un livre, dont l'auteur était, disait-il, Anaxagore, que c'est l'esprit qui est l'organisateur et la cause de toutes choses, l'idée de cette cause me ravit et il me sembla qu'il était en quelque sorte parfait que l'esprit fût la cause de tout. S'il en est ainsi, me dis-je, l'esprit ordonnateur dispose tout et place chaque objet de la façon la meilleure. Si donc on veut découvrir la cause qui fait que chaque chose naît, périt ou existe, il faut trouver quelle est pour elle la meilleure manière d'exister ou de supporter ou de faire quoi que ce soit. En vertu de ce raisonnement, l'homme n'a pas autre chose à examiner, dans ce qui se rapporte à lui et dans tout le reste, que ce qui est le meilleur et le plus parfait, avec quoi il connaîtra nécessairement aussi le pire, car les deux choses relèvent de la même science. En faisant ces réflexions, je me réjouissais d'avoir trouvé dans la

personne d'Anaxagore un maître selon mon cœur pour
m'enseigner la cause des êtres. Je pensais qu'il me dirait
d'abord si la terre est plate ou ronde [86] et après cela
qu'il m'expliquerait la cause et la nécessité de cette
forme, en partant du principe du mieux, et en prouvant
que le mieux pour elle, c'est d'avoir cette forme, et s'il
disait que la terre est au centre du monde [87], qu'il me
ferait voir qu'il était meilleur qu'elle fût au centre.
S'il me démontrait cela, j'étais prêt à ne plus demander
d'autre espèce de cause. De même au sujet du soleil,
de la lune et des autres astres, j'étais disposé à faire
les mêmes questions, pour savoir, en ce qui concerne
leurs vitesses relatives, leurs changements de direction
et les autres accidents auxquels ils sont sujets, en quoi il
est meilleur que chacun fasse ce qu'il fait et souffre ce
qu'il souffre. Je n'aurais jamais pensé qu'après avoir
affirmé que les choses ont été ordonnées par l'esprit, il
pût leur attribuer une autre cause que celle-ci : c'est le
mieux qu'elles soient comme elles sont. Aussi je pensais
qu'en assignant leur cause à chacune de ces choses en
particulier et à toutes en commun, il expliquerait en détail
ce qui est le meilleur pour chacune et ce qui est le bien
commun à toutes. Et je n'aurais pas donné pour beaucoup
mes espérances ; mais prenant ses livres en toute hâte, je les
lus aussi vite que possible, afin de savoir aussi vite que
possible le meilleur et le pire.

XLVII. — Mais je ne tardai pas, camarade, à tomber
du haut de cette merveilleuse espérance. Car, avançant
dans ma lecture, je vois un homme qui ne fait aucun
usage de l'intelligence et qui, au lieu d'assigner des
causes réelles à l'ordonnance du monde, prend pour des
causes l'air, l'éther, l'eau et quantité d'autres choses
étranges. Il me sembla que c'était exactement comme
si l'on disait que Socrate fait par intelligence tout ce
qu'il fait et qu'ensuite, essayant de dire la cause de chacune de mes actions, on soutînt d'abord que, si je suis
assis en cet endroit, c'est parce que mon corps est composé d'os et de muscles, que les os sont durs et ont des
joints qui les séparent, et que les muscles, qui ont la
propriété de se tendre et de se détendre, enveloppent
les os avec les chairs et la peau qui les renferme, que,
les os oscillant dans leurs jointures, les muscles, en
se relâchant et se tendant, me rendent capable de plier
mes membres en ce moment et que c'est la cause pour

laquelle je suis assis ici les jambes pliées. C'est encore
comme si, au sujet de mon entretien avec vous, il y assi-
gnait des causes comme la voix, l'air, l'ouïe et cent autres
pareilles, sans songer à donner les véritables causes, à
savoir que, les Athéniens ayant décidé qu'il était mieux
de me condamner, j'ai moi aussi, pour cette raison, décidé
qu'il était meilleur pour moi d'être assis en cet endroit
et plus juste de rester ici et de subir la peine qu'ils m'ont
imposée. Car, par le chien, il y a beau temps, je crois, que
ces muscles et ces os seraient à Mégare ou en Béotie,
emportés par l'idée du meilleur, si je ne jugeais pas plus
juste et plus beau, au lieu de m'évader et de fuir comme
un esclave, de payer à l'État la peine qu'il ordonne.

Mais appeler causes de pareilles choses, c'est par trop
extravagant. Que l'on dise que, si je ne possédais pas
des choses comme les os, les tendons et les autres que je
possède, je ne serais pas capable de faire ce que j'aurais
résolu, on dira la vérité; mais dire que c'est à cause de
cela que je fais ce que je fais et qu'ainsi je le fais par
l'intelligence, et non par le choix du meilleur, c'est faire
preuve d'une extrême négligence dans ses expressions.
C'est montrer qu'on est incapable de discerner qu'autre
chose est la cause véritable, autre chose ce sans quoi
la cause ne saurait être cause. C'est précisément ce que je
vois faire à la plupart des hommes, qui, tâtonnant comme
dans les ténèbres, se servent d'un mot impropre pour désigner cela comme la cause. Voilà pourquoi l'un, enve-
loppant la terre d'un tourbillon, la fait maintenir en
place par le ciel [88], et qu'un autre [89] la conçoit comme
une large huche, à laquelle il donne l'air comme support.
Quant à la puissance qui fait que les choses sont actuelle-
ment disposées le mieux qu'il est possible, ils ne la cherchent pas, ils ne pensent pas qu'elle possède une sorte
de force divine; mais ils croient pouvoir découvrir un
Atlas plus fort, plus immortel qu'elle, et qui maintienne
mieux l'ensemble des choses, et ils ne songent jamais
qu'en réalité c'est le bien et la nécessité qui lient et
maintiennent les choses. Quant à moi, pour connaître
une telle cause et savoir ce qu'elle est, je me ferais avec
allégresse le disciple de tous les maîtres possibles. Mais
comme elle se dérobait et que j'étais impuissant à la
trouver moi-même et à l'apprendre d'autrui, j'ai changé
de direction pour la chercher. Comment je m'y suis
pris, veux-tu, Cébès, dit-il, que je t'en fasse un récit ?

— Si je le veux! plus que tout au monde, s'écria Cébès.

XLVIII. — Quand je fus las d'étudier les choses, reprit Socrate, je crus devoir prendre garde à ne pas éprouver ce qui arrive à ceux qui regardent et observent le soleil pendant une éclipse; car ils perdent quelquefois la vue s'ils ne regardent pas son image dans l'eau ou dans un milieu semblable. L'idée d'un tel accident me vint à l'esprit et je craignis que mon âme ne devînt complètement aveugle, si je regardais les choses avec mes yeux et si j'essayais de les saisir avec un de mes sens. Je crus alors que je devais recourir aux principes [90] et regarder en eux la vérité des choses. Mais peut-être ma comparaison n'est-elle pas exacte de tout point; car je n'accorde pas sans réserve qu'en examinant les choses dans leurs principes, on les examine plutôt dans des images que quand on les regarde dans leur réalité. Quoi qu'il en soit, voilà le chemin que j'ai pris. Je pose en chaque cas un principe, celui que je juge le plus solide, et tout ce qui me paraît s'y accorder, qu'il s'agisse de causes ou de toute autre chose, je l'admets comme vrai, et, comme faux, tout ce qui ne s'y accorde pas. Mais je veux te rendre ma pensée plus sensible, car je pense que tu ne m'entends pas encore.

— Non, par Zeus, dit Cébès, pas trop bien.

XLIX. — Pourtant, reprit Socrate, il n'y a dans ce que je dis rien de neuf : c'est ce que je n'ai jamais cessé de dire, et en d'autres occasions et tantôt, dans notre entretien. Je vais essayer de te montrer la nature de la cause que j'ai étudiée, en revenant à ces idées que j'ai tant rebattues. Je partirai de là, admettant qu'il y a quelque chose de beau, de bon, de grand en soi et ainsi du reste. Si tu m'accordes cela et si tu conviens que ces choses en soi existent, j'espère alors que je trouverai et te ferai voir la cause qui fait que l'âme est immortelle.

— Sois sûr que je te l'accorde, dit Cébès, et achève vite ta démonstration.

— Examine à présent ce qui s'ensuit, dit Socrate, pour voir si tu partages mon opinion. Il me paraît que, s'il existe quelque chose de beau en dehors du beau en soi, cette chose n'est belle que parce qu'elle participe de ce beau en soi, et je dis qu'il en est de même de toutes choses. M'accordes-tu ce genre de cause ?

— Je te l'accorde, dit-il.

— Maintenant, continua Socrate, je ne conçois plus et je ne puis m'expliquer les autres causes, ces savantes causes qu'on nous donne. Mais si l'on vient me dire que ce qui fait qu'une chose est belle, c'est ou sa brillante couleur, ou sa forme ou quelque autre chose de ce genre, je laisse là toutes ces raisons, qui ne font toutes que me troubler, et je m'en tiens simplement, bonnement et peut-être naïvement à ceci, que rien ne la rend belle que la présence ou la communication de cette beauté en soi ou toute autre voie ou moyen par lequel cette beauté s'y ajoute; car sur cette communication je n'affirme plus rien de positif, je dis seulement que c'est par le beau que toutes les belles choses deviennent belles. C'est là, je crois, la réponse la plus sûre que je puisse faire à moi-même et aux autres. En me tenant à ce principe, je suis persuadé que je ne ferai jamais de faux pas et que je puis, en toute sûreté, et tout autre comme moi, répondre que c'est par la beauté que les belles choses sont belles. Ne le crois-tu pas aussi ?

— Je le crois.

— Et que de même c'est par la grandeur que les choses grandes sont grandes et que les plus grandes sont plus grandes, et par la petitesse que les plus petites sont plus petites ?

— Oui.

— Tu n'approuverais donc pas non plus celui qui dirait qu'un homme est plus grand qu'un autre de la tête et que le plus petit est plus petit d'autant; mais tu protesterais que toi, tu te bornes à dire ceci, c'est que tout objet plus grand qu'un autre ne l'est par rien d'autre que la grandeur et que c'est cela, la grandeur, qui le rend plus grand, et que le plus petit n'est plus petit par rien d'autre que la petitesse et que c'est pour cela, la petitesse, qu'il est plus petit. Car tu appréhenderais, je pense, qu'en disant qu'un homme est plus grand ou plus petit de la tête, tu ne tombes sur un contradicteur qui t'objecterait d'abord que c'est par la même chose que le plus grand est plus grand et le plus petit plus petit et ensuite que c'est par la tête, qui est petite, que le plus grand est plus grand, et que c'est un prodige qu'un homme soit grand par quelque chose de petit. Ne craindrais-tu pas ces objections ?

— Si, dit Cébès en riant.

— Tu craindrais donc, reprit Socrate, de dire que dix est plus grand de deux que huit et que c'est par cette

raison qu'il le dépasse, et non par la quantité et à cause
de la quantité; ou bien encore qu'un objet de deux
coudées est plus grand par la moitié qu'un objet d'une
coudée, et non par la grandeur ? Car il y a en cela le
même sujet de craindre.

— Sans doute, dit-il.

— Et si à un on ajoutait un, ne te garderais-tu pas
de dire que c'est l'addition qui est cause qu'il est devenu
deux ou que, si l'on a coupé un en deux, c'est la division ?
Et ne protesterais-tu pas tout haut que tu es sûr qu'une
chose ne peut naître que d'une participation à l'essence
propre de la chose dont elle participe, et qu'en ces deux
cas, tu ne vois pas d'autre cause de la naissance du deux
que sa participation à la dualité, que c'est à cette dualité
que doit participer tout ce qui doit être deux, et à l'unité
ce qui doit être un. Mais ces divisions, ces additions et
autres subtilités du même genre, tu t'en désintéresserais
et laisserais le soin de répondre à de plus savants que toi.

Pour toi, tu aurais, comme on dit, peur de ton ombre
et de ton inexpérience; tu t'en tiendrais au solide principe que nous avons établi, et tu répondrais comme
j'ai dit. Si quelqu'un attaquait le principe lui-même,
tu ne t'en inquiéterais pas et tu ne lui répondrais pas
avant d'avoir examiné les conséquences qui découlent
du principe et vu si elles s'accordent ou ne s'accordent
pas entre elles. Et si tu étais obligé de rendre raison du
principe lui-même, tu le ferais de même, en posant un
autre principe plus général, celui qui te paraîtrait le
meilleur, et ainsi de suite jusqu'à ce que tu en eusses
atteint un qui fût satisfaisant. Mais tu ne t'embrouil-
lerais pas comme les controversistes, en parlant à la
fois du principe et des conséquences qui en découlent,
si tu voulais découvrir quelque réalité; car il n'est peut-
être pas un d'eux qui parle ou s'inquiète de la réalité;
ils brouillent tout, et cependant, grâce à leur science, ils
n'en réussissent pas moins à se plaire à eux-mêmes. Mais
toi, si tu es philosophe, je pense que tu feras comme je dis.

— Rien de plus vrai que ce que tu avances, dirent
en même temps Simmias et Cébès.

ÉCHÉCRATE

Par Zeus, Phédon, c'est bien ce qu'ils devaient
répondre; car Socrate me semble avoir fait un exposé qui
est merveilleusement clair, même pour un homme de peu
d'esprit.

PHÉDON

Cela est certain, Échécrate, et tous ceux qui étaient là furent de cet avis.

ÉCHÉCRATE

C'est aussi le nôtre, à nous qui n'étions pas là, mais qui t'écoutons à cette heure. Mais qu'est-ce qui fut dit après cela ?

PHÉDON

L. — Autant que je m'en souviens, quand on lui eut accordé cela et qu'on fut tombé d'accord sur l'existence réelle de chacune des formes, et que c'est de la participation que les autres choses ont avec elles qu'elles tirent leur dénomination, alors il posa cette question : « Si tu admets ce que je viens d'avancer, est-ce que, lorsque tu dis que Simmias est plus grand que Socrate, mais plus petit que Phédon, tu ne dis pas alors qu'il y a dans Simmias deux choses à la fois, de la grandeur et de la petitesse ?

— Si.

— Mais alors, reprit Socrate, tu conviens qu'en disant que Simmias surpasse Socrate, cette proposition, telle qu'elle est exprimée par ces mots, n'est pas exacte; car Simmias n'est pas tel de nature qu'il le dépasse par là même qu'il est Simmias, mais il le dépasse par la grandeur qu'il tient du hasard, et il ne surpasse pas non plus Socrate à cause que Socrate est Socrate, mais parce que Socrate a de la petitesse par comparaison à la grandeur de Simmias.

— C'est vrai.

— De même il n'est pas dépassé par Phédon parce que Phédon est Phédon, mais parce que Phédon a de la grandeur par comparaison à la petitesse de Simmias.

— C'est exact.

— Ainsi donc Simmias est appelé à la fois petit et grand, et il est entre les deux, laissant dépasser sa petitesse par la grandeur de l'un, et reconnaissant à l'autre une grandeur qui dépasse sa petitesse. J'ai bien l'air, ajouta-t-il en souriant, de parler comme si je rédigeais un contrat; mais enfin la chose est ainsi.

— Il en tomba d'accord.

— Si j'insiste là-dessus, c'est que je voudrais te faire partager mon opinion. Car il me semble à moi que non seulement la grandeur en elle-même ne veut jamais être à la fois grande et petite, mais encore que la grandeur

qui est en nous n'admet jamais la petitesse et ne veut
pas être dépassée. Mais de deux choses l'une, ou bien
elle fuit et se retire, quand son contraire, la petitesse,
s'avance vers elle, ou bien, quand celui-ci s'est approché,
elle périt. Elle ne veut pas, en admettant et recevant
la petitesse, devenir autre chose que ce qu'elle était.
C'est ainsi que moi, ayant reçu et admis la petitesse sans
cesser d'être ce que je suis, je suis le même homme
petit; mais la grandeur, étant grande, ne s'est jamais
résolue à être petite. De même la petitesse qui est en
nous se refuse toujours à devenir et à être grande, et
aucun des autres contraires, étant encore ce qu'il était,
ne veut en même temps devenir ni être son contraire,
mais ou bien il se retire, ou il périt quand l'autre arrive.

— C'est exactement ce qui m'en semble, dit Cébès. »

LI. — A ces mots, quelqu'un de la compagnie — qui
c'était, je ne m'en souviens pas exactement — prit la
parole : « Au nom des dieux, n'avez-vous pas admis
précédemment juste le contraire de ce que vous soutenez
à présent, que le plus grand naît du plus petit et le plus
petit du plus grand, et que c'est précisément ainsi qu'a
lieu la naissance des contraires : ils sortent des contraires ?
Or à présent il me semble que vous soutenez que cela ne
saurait jamais arriver. »

En l'entendant, Socrate tourna la tête et dit : « Tu
es un brave, de nous avoir rappelé cela. Cependant tu ne
saisis pas la différence qu'il y a entre ce que nous disons
maintenant et ce que nous avons dit tantôt. Tantôt nous
avons dit qu'une chose contraire naît de celle qui lui est
contraire; mais à présent nous disons que le contraire
lui-même ne saurait jamais être contraire à lui-même, ni
le contraire qui est en nous, ni celui qui est dans la
nature. C'est que tantôt, mon ami, nous parlions des
choses qui ont des contraires, choses que nous dési-
gnons par le nom de ces contraires, tandis qu'à présent
il est question de ces contraires mêmes, de l'immanence
desquels les choses tirent leur nom : c'est ces contraires
en soi qui, selon nous, ne consentiraient jamais à naître
les uns des autres... »

Et ce disant, il regarda Cébès et lui dit : « N'as-tu pas
été troublé toi aussi, Cébès, par l'objection de notre
ami ?

— Non, dit Cébès, ce n'est pas mon cas. Cependant
je ne veux pas dire que je ne sois souvent troublé.

— Alors, reprit Socrate, nous sommes absolument d'accord sur ce point, que jamais un contraire ne sera contraire à lui-même ?

— Absolument, dit-il.

LII. — Examine-moi encore ceci, poursuivit Socrate, et vois si tu seras de mon avis. Y a-t-il quelque chose que tu appelles chaud et quelque chose que tu appelles froid ?

— Oui.

— Sont-ce les mêmes choses que la neige et le feu ?

— Non, par Zeus.

— Alors le chaud est autre chose que le feu, et le froid autre chose que la neige ?

— Oui.

— Alors tu es bien, je pense, de cet avis, que jamais la neige, étant neige, si elle a, pour reprendre notre expression de tout à l'heure, reçu le chaud, ne sera plus ce qu'elle était, à la fois neige et chaude, mais, à l'approche du chaud, ou bien elle lui cédera la place, ou bien elle périra.

— Certainement.

— Et de même le feu, si le froid s'approche de lui, ou se retirera ou bien périra ; mais jamais il ne se résoudra, ayant reçu le froid, à être encore ce qu'il était, à la fois feu et froid.

— C'est vrai, dit-il.

— Il arrive donc, reprit Socrate, que dans quelques cas du même genre, non seulement l'idée abstraite elle-même ait droit à porter le même nom éternellement, mais qu'il en soit de même pour une autre chose qui n'est pas cette idée, mais qui a toujours, tant qu'elle existe, la forme de cette idée. Voici des exemples qui rendront peut-être ma pensée plus claire. Il faut que l'impair garde toujours ce nom qui sert à le désigner à présent, n'est-ce pas ?

— Certainement.

— Or est-il la seule chose qui ait ce nom ? car c'est cela que je demande ; ou y en a-t-il quelque autre qui, sans être ce qu'est l'impair, doit cependant toujours porter elle-même le nom d'impair en plus de son propre nom, parce que sa nature est telle qu'elle n'est jamais séparée de l'impair ? C'est le cas, dis-je, pour le nombre trois et pour beaucoup d'autres choses. Arrêtons-nous au nombre trois. Ne te semble-t-il pas qu'il

doit toujours être appelé à la fois du nom qui lui est
propre et du nom de l'impair, bien que l'impair ne soit
pas la même chose que le nombre trois ? Cependant
le nombre trois, le nombre cinq et une moitié tout entière
de la numération sont constitués de telle sorte que chacun
de ces nombres, sans être ce qu'est l'impair, est toujours
impair. Il en est de même du deux, du quatre et de toute
l'autre série des nombres ; chacun d'eux, sans être ce
qu'est le pair, n'en est pas moins toujours pair. En
conviens-tu, ou non ?

— Comment n'en conviendrais-je pas ? dit-il.

— Maintenant fais attention à ce que je veux démontrer. Le voici : il est évident que non seulement ces
contraires abstraits s'excluent les uns les autres, mais
encore que toutes les choses qui, sans être contraires
les unes aux autres, contiennent toujours des contraires,
que ces choses-là, dis-je, ne semblent pas non plus
recevoir l'idée contraire à celle qui est en elles et qu'à
son approche, ou elles périssent, ou elles cèdent la place.
Ne dirons-nous pas que le nombre trois périra et souf-
frira tout au monde plutôt que de se résigner à devenir
pair, en restant trois ?

— C'est certain, dit Cébès.

— Et pourtant, reprit Socrate, deux n'est pas contraire
à trois.

— Non, en effet.

— Ce ne sont donc pas seulement les formes contraires
qui ne supportent pas l'approche les unes des autres ; il
y a d'autres choses encore qui ne supportent pas l'approche de leurs contraires.

— C'est parfaitement vrai, dit-il.

LIII. — Veux-tu maintenant, reprit Socrate, que, si
nous en sommes capables, nous déterminions de quelle
nature sont ces choses ?

— Oui, je le veux.

— Eh bien, Cébès, poursuivit-il, ne sera-ce pas celles
qui forcent la chose dont elles ont pris possession non
seulement à prendre leur forme, mais encore celle de
quelque chose qui lui est toujours contraire ?

— Comment dis-tu ?

— Comme nous disions tout à l'heure. Tu comprends
bien, je pense, que toutes les choses où le nombre trois
est l'élément dominant, doivent être non seulement trois,
mais encore impaires ?

— Certainement.

— Eh bien, je dis que, dans une chose telle que celle-là, il ne peut jamais entrer d'idée contraire à la forme qui la constitue.

— Jamais en effet.

— Or ce qui la constitue, c'est la forme de l'impair ?

— Oui.

— Et l'idée contraire à cette chose est celle du pair ?

— Oui.

— Alors l'idée du pair n'entrera jamais dans le trois ?

— Non, assurément.

— Trois n'a donc point part au pair.

— Il n'en a point.

— Alors trois est sans rapport au pair ?

— Oui.

— Voilà donc ce que je voulais déterminer, c'est-à-dire quelles sont les choses qui, sans être contraires à une autre, refusent néanmoins de l'admettre. C'est ainsi que, dans le cas présent, le nombre trois, bien qu'il ne soit pas contraire au pair, ne l'admet pas davantage pour cela ; car il lui oppose toujours son contraire, comme le deux à l'impair, le feu au froid et une foule d'autres choses encore. Vois donc si tu acceptes cette définition : non seulement le contraire n'admet pas son contraire, mais ce qui apporte quelque chose de contraire à ce qu'il approche n'admet jamais le contraire de ce qu'il apporte lui-même. Penses-y encore ; car il n'est pas mal d'entendre cela plusieurs fois. Le nombre cinq n'admettra pas l'idée du pair, ni le nombre dix, qui en est le double, celle de l'impair. Il est vrai que ce double lui-même est le contraire d'autre chose, et cependant il n'admettra pas l'idée de l'impair, non plus que la moitié, le sesquialtère ni les autres fractions du même genre, ni non plus le tiers et toutes les parties analogues n'admettent l'idée du tout, si du moins tu me suis et demeures d'accord avec moi.

— Je suis, dit-il, entièrement d'accord avec toi, et je te suis.

LIV. — Reprenons les choses au commencement, dit Socrate, et garde-toi de me répondre avec les mots mêmes de ma question, mais suis l'exemple que je vais te donner. Je dis donc qu'outre la manière de répondre dont j'ai parlé d'abord, la manière sûre, j'en vois une autre également sûre à la lumière de ce qui vient d'être dit.

Si en effet tu me demandais : Qu'est-ce qui doit se trouver
dans le corps pour qu'il soit chaud ? je ne te ferais pas
la réponse sûre, celle de l'ignorant, que c'est la chaleur,
mais une réponse plus savante, tirée de ce que nous venons
de dire, que c'est le feu. De même, si tu me demandais :
Qu'est-ce qui doit se trouver dans le corps pour qu'il
soit malade, je ne te dirais pas la maladie, mais la fièvre;
et si tu me demandais : Qu'est-ce qui doit se trouver
dans un nombre pour qu'il soit impair, je ne dirais pas
l'imparité, mais l'unité, et ainsi du reste. Mais vois si à
présent tu saisis bien ce que je veux dire.

— Oui, très bien, dit-il.

— Maintenant, continua Socrate, réponds. Que faut-il
qui se trouve en un corps pour qu'il soit vivant ?

— Une âme, dit-il.

— En est-il toujours ainsi ?

— Sans doute, fit-il.

— Ainsi, quoi qu'elle occupe, l'âme y vient toujours
en y apportant la vie ?

— Oui certainement, dit-il.

— Or y a-t-il quelque chose de contraire à la vie,
ou n'y a-t-il rien ?

— Il y a quelque chose, dit-il.

— Quoi ?

— La mort.

— Donc il n'est pas à craindre qu'elle reçoive jamais
le contraire de ce qu'elle apporte toujours; cela suit
de nos prémisses.

— Assurément, dit Cébès.

LV. — Mais ce qui n'admet pas l'idée du pair, comment l'avons-nous appelé tout à l'heure ?

— Non-pair, dit-il.

— Et ce qui ne reçoit pas le juste, et ce qui ne reçoit
pas le musical ?

— Le non-musical, dit-il, et l'injuste.

— Fort bien; mais ce qui ne reçoit pas la mort, comment
l'appelons-nous ?

— Immortel, dit-il.

— Or l'âme ne reçoit pas la mort ?

— Non.

— L'âme est donc immortelle ?

— Elle est immortelle.

— Fort bien, dit-il. Pouvons-nous dire que cela est
démontré ? Qu'en penses-tu ?

— Oui, et même fort bien, Socrate.

— Mais voyons, Cébès, reprit Socrate, si c'était une nécessité pour l'impair d'être impérissable, le trois ne serait-il pas impérissable aussi ?

— Sans doute.

— Et si le non-chaud aussi était nécessairement impérissable, toutes les fois qu'on approcherait du chaud de la neige, est-ce que la neige ne se retirerait pas intacte et sans fondre ? Car elle ne périrait pas, et elle n'attendrait pas non plus et ne recevrait pas la chaleur.

— C'est vrai, dit-il.

— Il en est de même, je pense, de ce qui ne peut être rafraîchi. Si cela était impérissable, quand quelque chose de froid s'approcherait du feu, jamais le feu ne s'éteindrait ni ne périrait, mais il se retirerait sain et sauf.

— Nécessairement, fit-il.

— Ne faut-il pas nécessairement aussi dire la même chose de ce qui est immortel ? Si ce qui est immortel est aussi impérissable, il est impossible que l'âme, quand la mort vient à elle, puisse périr ; car d'après ce que nous avons dit, elle ne recevra pas la mort et ne sera jamais morte, pas plus que le trois, disions-nous, ni l'impair non plus, ne sera pair, ni le feu, ni non plus la chaleur qui est dans le feu ne deviendra froideur. Mais qu'est-ce qui empêche, dira-t-on, que l'impair, quoique, nous en sommes convenus, il ne devienne pas pair à l'approche du pair, ne périsse et d'impair ne devienne pair ? A cette objection nous ne pourrions répondre qu'il ne périt pas ; car le non-pair n'est pas impérissable. Autrement, si nous avions reconnu qu'il l'est, il nous serait facile de riposter qu'à l'approche du pair, l'impair et le trois se retirent, et nous ferions la même réponse au sujet du feu, du chaud, et du reste, n'est-ce pas ?

— Certainement.

— Par conséquent, au sujet de l'immortel, qui nous occupe à présent, si nous tombons d'accord qu'il est aussi impérissable, l'âme sera non seulement immortelle, mais encore impérissable. Sinon, il nous faudra d'autres preuves.

— Pour cela, dit-il, nous n'en avons nullement besoin ; car on aurait peine à trouver quelque chose d'impérissable si ce qui est immortel, étant éternel, admettait la destruction.

LVI. — Mais quant à Dieu, dit Socrate, à la forme même de la vie et à tout ce qu'il peut y avoir encore d'immortel, tout le monde conviendra, je pense, qu'ils ne périssent jamais.

— Oui, par Zeus, tout le monde, dit-il, et les dieux tous les premiers.

— Or, puisque l'immortel est aussi impérissable, est-ce que l'âme, si elle est immortelle, n'est pas aussi impérissable ?

— Elle l'est de toute nécessité.

— En conséquence, lorsque la mort approche de l'homme, ce qu'il y a de mortel en lui meurt, à ce qu'il paraît, mais ce qu'il y a d'immortel se retire sain et sauf et incorruptible et cède la place à la mort.

— C'est évident.

— Il est donc absolument certain, Cébès, reprit Socrate, que l'âme est immortelle et impérissable, et nos âmes existeront réellement dans l'Hadès.

— Pour ma part, Socrate, dit Simmias, je n'ai rien à dire là contre et aucun motif de me défier de tes arguments. Mais si Simmias ou quelque autre a quelque chose à dire, ils feront bien de ne pas se taire, car je ne vois pas quelle autre occasion que celle-ci ils pourraient attendre, s'ils veulent, ou parler, ou entendre parler sur ces matières.

— Moi non plus, dit Simmias, je n'ai plus de raison de me défier, après ce qui vient d'être dit. Cependant la grandeur du sujet en question et la piètre opinion que j'ai de la faiblesse humaine font que je ne puis m'empêcher de garder encore par devers moi quelque défiance à l'égard de la thèse exposée par Socrate.

— Non seulement ce que tu dis là, Simmias, repartit Socrate, est fort bien dit, mais quelque sûres que soient nos premières hypothèses, il n'en faut pas moins les soumettre à un examen plus approfondi, et quand vous les aurez bien analysées, vous suivrez, je pense, le raisonnement, autant qu'il est possible à l'homme de le faire, et quand vous serez sûrs de le suivre, vous n'aurez pas à chercher au-delà.

— C'est vrai, dit-il.

LVII. — Mais voici une chose, mes amis, poursuivit Socrate, qu'il est juste de se mettre dans l'esprit, c'est que, si l'âme est immortelle, il faut en prendre soin, non seulement pour le temps que dure ce que nous appelons vivre, mais pour tout le temps à venir, et il semble à présent qu'on s'expose à un terrible danger, si on la néglige. Si en effet la mort nous délivrait de tout, quelle aubaine ce serait pour les méchants d'être en mourant débarrassés tout à la fois de leur corps et de leur méchanceté en même temps que de leur âme! Mais maintenant que nous savons que l'âme est immortelle, il n'y a pas pour elle d'autre moyen d'échapper à ses maux et de se sauver que de devenir la meilleure et la plus sage possible; car, en descendant chez Hadès, elle ne garde avec elle que l'instruction et l'éducation, qui sont, dit-on, ce qui sert ou nuit le plus au mort, dès le moment où il part pour l'autre monde.

On dit en effet qu'après la mort, le démon que le sort a attaché à chaque homme durant sa vie se met en devoir de le conduire dans un lieu où les morts sont rassemblés pour subir leur jugement, après quoi ils se rendent dans l'Hadès avec ce guide qui a mission d'emmener ceux d'ici-bas dans l'autre monde. Lorsqu'ils y ont eu le sort qu'ils méritaient et qu'ils y sont restés le temps prescrit, un autre guide les ramène ici, après de nombreuses et longues périodes de temps. Mais le voyage n'est pas ce que dit le Télèphe d'Eschyle [91]. Il affirme, lui, que la route de l'Hadès est simple; moi, je pense qu'elle n'est ni simple, ni unique; autrement, on n'aurait pas besoin de guides, puisqu'on ne pourrait se fourvoyer dans aucun sens, s'il n'y avait qu'une route. Il me paraît, au contraire, qu'il y a beaucoup de bifurcations et de détours, ce que je conjecture d'après les cérémonies pieuses et les rites pratiqués sur la terre. Quoi qu'il en soit, l'âme réglée et sage suit son guide et n'ignore pas ce qui l'attend; mais celle qui est passionnément attachée au corps, comme je l'ai dit précédemment, reste longtemps éprise de ce corps et du monde visible; ce n'est qu'après une longue résistance et beaucoup de souffrances, qu'elle est entraînée par force et à grand-peine par le démon qui en est chargé. Arrivée à l'endroit où sont les autres, l'âme impure et qui a fait le mal, qui a commis des meurtres injustes ou d'autres crimes du même genre, frères de ceux-là et tels qu'en commettent les âmes de même famille qu'elle, voit tout le monde la fuir et se détourner d'elle; personne ne veut ni l'accompagner ni la guider; elle erre seule, en proie à un grand embarras, jusqu'à ce que certains temps soient écoulés, après lesquels la nécessité l'entraîne dans le séjour qui lui convient. Au contraire, celle qui a vécu toute sa vie dans la pureté et la tempérance et qui a eu le bonheur d'être accompagnée et guidée par les dieux a trouvé tout de suite la résidence qui lui est réservée.

La terre compte un grand nombre de régions merveilleuses et elle-même n'est pas telle ni si grande que se le figurent ceux qui ont coutume de discourir sur sa nature, d'après ce que j'ai entendu dire à quelqu'un qui m'a convaincu [92].

LVIII. — Alors Simmias prit la parole : « Que dis-tu là, Socrate ? Au sujet de la terre j'ai entendu dire, moi aussi, bien des choses, mais qui ne sont pas celles dont tu es convaincu ; aussi j'aurais plaisir à t'entendre.

— Pour exposer ce qui en est, Simmias, je ne crois pas qu'on ait besoin de l'art de Glaucos [93] ; mais d'en prouver la vérité, la difficulté me paraît excéder l'art de Glaucos. Peut-être même n'en suis-je pas capable, et à supposer même que je le sois, le temps qui me reste à vivre ne suffirait sans doute pas à une si longue exposition. Néanmoins rien ne m'empêche de dire quelle idée on m'a donnée de la forme et des différents lieux de la terre.

— Eh bien, dit Simmias, je n'en demande pas davantage.

— Eh bien donc, reprit-il, je suis persuadé pour ma part que tout d'abord, si la terre est de forme sphérique et placée au milieu du ciel, elle n'a besoin, pour ne pas tomber, ni d'air ni d'aucune autre pression du même genre, mais que l'homogénéité parfaite du ciel seul et l'équilibre de la terre seule suffisent à la maintenir ; car une chose en équilibre, placée au milieu d'un élément homogène, ne pourra ni peu ni prou pencher d'aucun côté et dans cette situation elle restera fixe. Voilà, ajouta-t-il, le premier point dont je suis convaincu.

— Et avec raison, dit Simmias.

— En outre, dit-il, je suis persuadé que la terre est immense et que nous, qui l'habitons du Phase aux colonnes d'Héraclès, nous n'en occupons qu'une petite partie, répandus autour de la mer, comme des fourmis ou des grenouilles autour d'un étang, et que beaucoup d'autres peuples habitent ailleurs en beaucoup d'endroits semblables ; car il y a partout sur la terre beaucoup de creux de formes et de grandeurs variées, où l'eau, le brouillard et l'air se sont déversés ensemble. Mais la terre pure elle-même est située dans le ciel pur où sont les astres, que la plupart de ceux qui ont l'habitude de discourir sur ces matières appellent l'éther. C'est l'éther qui laisse déposer l'eau, le brouillard et l'air qui s'amassent toujours dans les creux de la terre. Quant à nous, nous ne nous doutons pas que nous habitons dans ces creux, nous

croyons habiter en haut de la terre, comme si quelqu'un
vivant au milieu du fond de l'Océan se croyait logé
à la surface de la mer et, voyant le soleil et les astres
à travers l'eau, prenait la mer pour le ciel, mais, retenu
par sa pesanteur et sa faiblesse, ne serait jamais parvenu
en haut de la mer et n'aurait jamais vu, en émergeant
et levant la tête vers le lieu que nous habitons, combien
il est plus pur et plus beau que le sien et ne l'aurait
jamais appris de quelqu'un qui l'aurait vu. C'est justement
l'état où nous sommes nous-mêmes. Confinés dans un
creux de la terre, nous croyons en habiter le haut, nous
prenons l'air pour le ciel et nous croyons que c'est le
véritable ciel où les astres se meuvent. C'est bien là notre
état : notre faiblesse et notre lenteur nous empêchent
de nous élever à la limite de l'air ; car si quelqu'un pouvait arriver en haut de l'air, ou s'y envoler sur des ailes,
il serait comme les poissons de chez nous qui, en levant
la tête hors de la mer, voient notre monde ; il pourrait
lui aussi, en levant la tête, se donner le spectacle du monde
supérieur ; et si la nature lui avait donné la force de
soutenir cette contemplation, il reconnaîtrait que c'est
là le véritable ciel, la vraie lumière et la véritable terre.
Car notre terre à nous, les pierres et le lieu tout entier
que nous habitons sont corrompus et rongés, comme les
objets qui sont dans la mer le sont par la salure, et il
ne pousse dans la mer rien qui vaille la peine d'être
mentionné, et l'on n'y trouve pour ainsi dire rien de parfait ; ce ne sont que cavernes, sable, boue infinie et bour-
biers là où il y a aussi de la terre, bref rien qui mérite
en quoi que ce soit d'être comparé aux beautés de
notre monde. Mais le monde d'en haut paraît l'emporter
bien davantage encore sur le nôtre. Si je puis recourir
au mythe pour vous décrire ce qu'est la terre placée
sous le ciel, écoutez-moi, cela en vaut la peine.

— Oui, Socrate, dit Simmias, nous écouterons ton
mythe avec plaisir.

LIX. — Pour commencer, camarade, reprit Socrate,
on dit que cette terre-là, vue d'en haut, offre l'aspect
d'un ballon à douze bandes de cuir [94] ; elle est divisée
en pièces de couleurs variées, dont les couleurs connues
chez nous, celles qu'emploient les peintres, sont comme
des échantillons. Mais, là-haut, toute la terre est diaprée
de ces couleurs et de couleurs encore bien plus éclatantes
et plus pures que les nôtres : telle partie de cette terre

est pourprée et admirable de beauté, telle autre dorée,
telle autre, qui est blanche, est plus brillante que le
gypse et la neige, et il en est de même des autres couleurs
dont elle est parée, et qui sont plus nombreuses et plus
belles que celles que nous avons pu voir. Et en effet ces
creux mêmes de la terre, étant remplis d'eau et d'air,
ont une couleur particulière qui resplendit dans la variété
des autres, en sorte que la terre se montre sous un aspect
continuellement varié. A la qualité de cette terre répond
celle de ses productions, arbres, fleurs et fruits. La même
proportion s'observe dans les montagnes, dont les
roches sont plus polies, plus transparentes et plus belles
de couleur. Les petites pierres d'ici, tant prisées, les
cornalines, les jaspes, les émeraudes et toutes les autres
de même nature n'en sont que des parcelles ; mais, là-bas,
toutes les pierres sont précieuses et encore plus belles.
Et la cause en est que les pierres de ces régions sont pures
et ne sont pas rongées ni gâtées comme les nôtres par
la putréfaction et la salure dues aux sédiments qui sont
déversés ici, et qui apportent aux pierres, au sol et aux
animaux et aux plantes la laideur et les maladies. Quant
à la terre elle-même, outre tous ces joyaux, elle est encore
ornée d'or, d'argent et des autres métaux précieux. Ils
sont exposés à la vue, considérables en nombre et en
dimension, et répandus partout, en sorte que cette
terre offre un spectacle fait pour des spectateurs bienheureux.

Elle porte beaucoup d'animaux et des hommes, dont
les uns habitent le milieu des terres, les autres au bord
de l'air, comme nous au bord de la mer, d'autres dans
des îles entourés par l'air, près du continent. En un mot,
l'air est pour eux ce que l'eau et la mer sont ici pour
notre usage, et ce que l'air est pour nous, c'est l'éther
qui l'est pour eux. Leurs saisons sont si bien tempérées
qu'ils ne connaissent pas les maladies et vivent beaucoup
plus longtemps que ceux d'ici. Pour la vue, l'ouïe, la
sagesse et tous les attributs de ce genre, ils nous dépassent
d'autant que l'air l'emporte en pureté sur l'eau, et l'éther
sur l'air. Ils ont aussi des bois sacrés et des temples
que les dieux habitent réellement, et des voix, des pro-
phéties, des visions de dieux, et c'est ainsi qu'ils communiquent avec eux. Ils voient aussi le soleil, la lune et les
astres tels qu'ils sont, et le reste de leur bonheur est en
proportion de tous ces avantages.

LX. — Telle est la nature de la terre en son ensemble et des objets qui s'y trouvent. Quant aux régions enfermées dans ses cavités, disposées en cercle dans tout son pourtour, elles sont nombreuses et tantôt plus profondes et plus ouvertes que la région que nous habitons, tantôt plus profondes, mais avec une ouverture plus étroite que chez nous, parfois aussi moins profondes et plus larges que notre pays. Mais toutes ces régions communiquent entre elles en beaucoup d'endroits par des percées souterraines, tantôt plus étroites, tantôt plus larges, et par des conduits à travers lesquels une grosse quantité d'eau coule de l'une à l'autre, comme dans des bassins. Il y a aussi sous terre des fleuves intarissables d'une grandeur incroyable qui roulent des eaux chaudes et froides, beaucoup de feu et de grandes rivières de feu; il y en a beaucoup aussi qui charrient une boue liquide, tantôt plus pure, tantôt plus épaisse, comme en Sicile les torrents de boue qui précèdent la lave et comme la lave elle-même. Les diverses régions se remplissent de ces eaux, selon que l'écoulement se fait vers l'une ou l'autre, chaque fois qu'il se produit. Toutes ces eaux se meuvent vers le haut et vers le bas, comme un balancier placé dans l'intérieur de la terre. Voici par quelle disposition naturelle se produit cette oscillation. Parmi les gouffres de la terre il en est un particulièrement grand qui traverse toute la terre de part en part. C'est celui dont parle Homère, quand il dit :

« *Bien loin, dans l'abîme le plus profond qui soit sous la terre* [95], » et que lui-même, à d'autres endroits, et beaucoup d'autres poètes ont appelé le Tartare. C'est en effet dans ce gouffre que se jettent tous les fleuves, et c'est de lui qu'ils sortent de nouveau, et chacun d'eux tient de la nature de la terre à travers laquelle il coule. Ce qui fait que tous les fleuves sortent de ce gouffre et y reviennent, c'est que leurs eaux ne trouvent là ni fond ni appui; alors elles oscillent et ondulent vers le haut et le bas. L'air et le vent qui les enveloppe font de même; car ils les accompagnent, soit lorsqu'elles se précipitent vers l'autre côté de la terre, soit de ce côté-ci, et de même que, lorsqu'on respire, le souffle ne cesse pas de courir, tantôt expiré, tantôt aspiré, ainsi aussi là-bas le souffle qui oscille avec l'eau produit des vents terribles et irrésistibles en entrant et en sortant. Quand l'eau se retire dans le lieu que nous appelons le bas, elle afflue à travers la terre dans les courants qui sont de ce côté-là et les remplit, à la façon d'un irrigateur; lorsque au contraire elle abandonne ces lieux et se lance vers les nôtres, elle remplit à nouveau les courants de ce côté-ci. Une fois remplis, ils coulent par les canaux à travers la terre et se rendent chacun respectivement aux endroits où ils trouvent leur chemin frayé, pour y former des mers, des lacs, des fleuves et des sources. De là, pénétrant de nouveau sous la terre, et parcourant, les uns des régions plus vastes et plus nombreuses, les autres des espaces moins nombreux et moins grands, ils se jettent de nouveau dans le Tartare; les uns s'y écoulent beaucoup plus bas que le point où ils ont été puisés, les autres à peu de distance au-dessous, mais tous plus bas qu'ils ne sont partis. Certains y rentrent à l'opposite du point d'où ils sont sortis, certains du même côté; il y en a aussi qui ont un cours tout à fait circulaire et qui, après s'être enroulés une ou plusieurs fois autour de la terre, comme des serpents, descendent aussi bas que possible pour se rejeter dans le Tartare. Ils peuvent descendre dans l'une ou l'autre direction jusqu'au centre, mais pas au-delà, car de chaque côté du centre une pente escarpée s'oppose aux courants de l'un et l'autre hémisphère.

LXI. — Ces courants sont nombreux et considérables et il y en a de toutes sortes; mais dans le nombre, on en distingue quatre dont le plus grand et le plus éloigné du centre est l'Océan, dont le cours encercle le globe. A l'opposite et en sens contraire de l'Océan coule l'Achéron, qui traverse des déserts et qui, coulant aussi sous terre, parvient au marais Achérousiade, où se rendent les âmes de la plupart des morts. Après y être resté un temps marqué par le destin, les unes plus longtemps, les autres moins, elles sont renvoyées pour renaître parmi les vivants. Un troisième fleuve sort entre ces deux-là et, tout près de sa source, se jette dans un lieu vaste, brûlé d'un feu violent; il y forme un lac plus grand que notre mer, bouillonnant d'eau et de boue; il sort de là par des méandres troubles et fangeux, s'enroule autour de la terre et gagne d'autres lieux jusqu'à ce qu'il arrive à l'extrémité du marais Achérousiade, mais sans se mêler à son eau; enfin après avoir formé mainte spirale sous terre, il se jette dans le Tartare en un point plus bas que l'Achérousiade. C'est le fleuve qu'on nomme Pyriphlégéthon, dont les courants de lave lancent des éclats en divers points de la surface de la terre. En face de celui-ci, le quatrième fleuve débouche d'abord dans un lieu qu'on dit terrifiant et sauvage, qui est tout entier revêtu d'une coloration bleu sombre. On l'appelle Stygien et Styx le lac que forme le fleuve en s'y déversant. Après être tombé dans ce lac et avoir pris dans son eau des propriétés redoutables, il s'enfonce sous la terre et s'avance en spirales dans la direction contraire à celle du Pyriphlégéthon, qu'il rencontre du côté opposé dans le lac Achérousiade. Il ne mêle pas non plus son eau à aucune autre, et lui aussi, après un trajet circulaire, se jette dans le Tartare, à l'opposite du Pyriphlégéthon; son nom, au dire des poètes, est Cocyte.

LXII. — Telle est la disposition de ces fleuves. Quand les morts sont arrivés à l'endroit où leur démon respectif les amène, ils sont d'abord jugés, aussi bien ceux qui ont mené une vie honnête et pieuse que ceux qui ont mal vécu. Ceux qui sont reconnus pour avoir tenu l'entre-deux dans leur conduite, se dirigent vers l'Achéron, s'embarquent en des nacelles qui les attendent et les portent au marais Achérousiade. Ils y habitent et s'y purifient; s'ils ont commis des injustices, ils en portent la peine et sont absous; s'ils ont fait de bonnes actions, ils en obtiennent la récompense, chacun suivant son mérite. Ceux qui sont regardés comme incurables à cause de l'énormité de leurs crimes, qui ont commis de nombreux et graves sacrilèges, de nombreux homicides contre la justice et la loi, ou tout autre forfait du même genre, à ceux-là leur lot c'est d'être précipités dans le Tartare, d'où ils ne sortent jamais. Ceux qui sont reconnus pour avoir commis des fautes expiables, quoique grandes, par exemple ceux qui, dans un accès de colère, se sont livrés à des voies de fait contre leur père ou leur mère et qui ont passé le reste de leur vie dans le repentir, ou qui ont commis un meurtre dans des conditions similaires, ceux-là doivent nécessairement être précipités dans le Tartare; mais lorsque après y être tombés, ils y ont passé un an, le flot les rejette, les meurtriers dans le Cocyte, ceux qui ont porté la main sur leur père ou leur mère dans le Pyriphlégéthon. Quand le courant les a portés au bord du marais Achérousiade, ils appellent à grands cris, les uns ceux qu'ils ont tués, les autres ceux qu'ils ont violentés, puis ils les supplient et les conjurent de leur permettre de déboucher dans le marais et de les recevoir. S'ils les fléchissent, ils y entrent et voient la fin de leurs

maux, sinon, ils sont de nouveau emportés dans le Tartare, et de là dans les fleuves, et leur punition continue
jusqu'à ce qu'ils aient fléchi ceux qu'ils ont maltraités;
car telle est la peine qui leur a été infligée par les juges.
Enfin ceux qui se sont distingués par la sainteté de leur
vie et qui sont reconnus pour tels, ceux-là sont exemptés
de ces séjours souterrains et délivrés de cet emprisonnement; ils montent dans une demeure pure et habitent
sur la terre. Et parmi ceux-là mêmes, ceux qui se sont
entièrement purifiés par la philosophie vivent à l'avenir
absolument sans corps et vont dans des demeures encore
plus belles que les autres. Mais il n'est pas facile de les
décrire et le temps qui me reste à cette heure n'y suffirait pas.

Ce que je viens d'exposer, Simmias, nous oblige à
tout faire pour acquérir la vertu et la sagesse pendant
cette vie; car le prix est beau et l'espérance est grande.

LXIII. — Soutenir que ces choses-là sont comme je
les ai décrites ne convient pas à un homme sensé; cependant, qu'il en soit ainsi ou à peu près ainsi en ce qui
concerne nos âmes et leurs habitacles, il me paraît,
puisque nous avons reconnu que l'âme est immortelle,
qu'il n'est pas outrecuidant de le soutenir, et, quand on
le croit, que cela vaut la peine d'en courir le risque,
car le risque est beau; et il faut se répéter cela à soi-
même, comme des paroles magiques. Voilà pourquoi
j'ai insisté si longtemps sur ce mythe. Ces raisons doivent
rassurer sur son âme l'homme qui pendant sa vie a
rejeté les plaisirs et les ornements du corps, parce qu'il
les jugeait étrangers à lui-même et plus propres à faire
du mal que du bien, et qui s'est adonné aux plaisirs de
la science, et qui, après avoir orné son âme, non d'une
parure étrangère, mais de celle qui lui est propre, j'entends la tempérance, la justice, le courage, la liberté,
la vérité, attend en cet état son départ pour l'Hadès,
prêt à partir quand le destin l'appellera. Vous, Simmias
et Cébès, et les autres, ajouta-t-il, vous ferez plus tard
ce voyage, chacun à votre tour et à votre temps; pour
moi, c'est en cet instant que la destinée m'appelle,
comme dirait un héros de tragédie. C'est en effet à peu
près l'heure pour moi d'aller au bain; car je crois qu'il
vaut mieux prendre le bain avant de boire le poison et
épargner aux femmes la peine de laver un cadavre. »

LXIV. — Quand Socrate eut fini de parler, Criton dit : « C'est bien; mais quelle recommandation nous fais-tu, aux autres et à moi, au sujet de tes enfants ou de toute autre chose, et que pourrions-nous faire de mieux pour te rendre service ?

— Rien de neuf, Criton, repartit Socrate, mais ce que je vous répète sans cesse : ayez soin de vous-mêmes et, quoi que vous fassiez, vous me rendrez service, à moi, aux miens et à vous-mêmes, alors même que vous n'en conviendriez pas sur le moment; mais si vous vous négligez vous-mêmes et si vous ne voulez pas vous conduire en suivant comme à la trace ce que je viens de dire et ce que je vous ai dit précédemment, vous aurez beau prodiguer aujourd'hui les plus solennelles promesses, vous n'en serez pas plus avancés.

— Nous mettrons donc tout notre zèle, dit Criton, à suivre ton conseil. Mais comment devons-nous t'ensevelir ?

— Comme vous voudrez, dit-il, si toutefois vous pouvez me saisir et que je ne vous échappe pas. »

Puis, souriant doucement et tournant en même temps les yeux vers nous, il ajouta : « Je n'arrive pas, mes amis, à persuader à Criton que je suis le Socrate qui s'entretient en ce moment avec vous et qui ordonne chacun de ses arguments. Il s'imagine que je suis celui qu'il verra mort tout à l'heure, et il demande comment il devra m'ensevelir. Tout ce long discours que j'ai fait tout à l'heure pour prouver que, quand j'aurai bu le poison, je ne resterai plus près de vous, mais que je m'en irai vers les félicités des bienheureux, il le regarde, je crois, comme un parlage destiné à vous consoler et à me consoler moi-même. Soyez donc mes cautions auprès de Criton, ajouta-t-il; donnez-lui la garantie contraire à celle qu'il a donnée à mes juges. Il s'est porté garant que je resterais; vous, au contraire, garantissez-lui que je ne resterai pas, quand je serai mort, mais que je m'en irai d'ici, afin qu'il prenne les choses plus doucement et qu'en voyant brûler ou enterrer mon corps, il ne s'afflige pas pour moi, comme si je souffrais des maux effroyables, et qu'il n'aille pas dire à mes funérailles qu'il expose, qu'il emporte ou qu'il enterre Socrate. Sache bien en effet, excellent Criton, lui dit-il, qu'un langage impropre n'est pas seulement défectueux en soi, mais qu'il fait encore du mal aux âmes. Aie donc confiance et dis que c'est mon corps que tu ensevelis, et ensevelis-

le comme il te plaira et de la manière qui te paraîtra
la plus conforme à l'usage. »

LXV. — Quand il eut dit cela, il se leva et passa
dans une autre pièce pour prendre son bain. Criton le
suivit; quant à nous, Socrate nous pria de l'attendre.
Nous l'attendîmes donc, tantôt en nous entretenant de ce
qu'il avait dit et le soumettant à un nouvel examen, tantôt
en parlant du grand malheur qui nous frappait. Nous
nous sentions véritablement privés d'un père et réduits
à vivre désormais comme des orphelins. Quand il eut
pris son bain, on lui amena ses enfants — il avait deux
fils encore petits et un grand — et ses parentes arri-
vèrent aussi. Il s'entretint avec elles en présence de
Criton, leur fit ses recommandations, puis il dit aux
femmes et à ses enfants de se retirer et lui-même revint
nous trouver. Le soleil était près de son coucher; car
Socrate était resté longtemps à l'intérieur. Après cela
l'entretien se borna à quelques paroles; car le serviteur
des Onze se présenta et s'approchant de lui : « Socrate,
dit-il, je ne me plaindrai pas de toi comme des autres,
qui se fâchent contre moi et me maudissent, quand, sur
l'injonction des magistrats, je viens leur dire de boire
le poison. Pour toi, j'ai eu mainte occasion, depuis que
tu es ici, de reconnaître en toi l'homme le plus généreux,
le plus doux et le meilleur qui soit jamais entré dans
cette maison, et maintenant encore je suis sûr que tu
n'es pas fâché contre moi, mais contre les auteurs de ta
condamnation, que tu connais bien. A présent donc, car
tu sais ce que je suis venu t'annoncer, adieu; tâche de
supporter le plus aisément possible ce qui est inévitable. »
Et en même temps il se retourna, fondant en larmes, pour
se retirer. Alors Socrate levant les yeux vers lui : « Adieu
à toi aussi, dit-il; je ferai ce que tu dis. » Puis s'adressant
à nous, il ajouta : « Quelle honnêteté dans cet homme!
Durant tout le temps que j'ai été ici, il est venu me voir
et causer de temps à autre avec moi. C'était le meilleur
des hommes, et maintenant encore avec quelle géné-
rosité il me pleure! Mais allons, Criton, obéissons-lui;
qu'on m'apporte le poison, s'il est broyé, sinon qu'on le
broie. »

Criton lui répondit : « Mais je crois, Socrate, que le
soleil est encore sur les montagnes et qu'il n'est pas
encore couché. D'ailleurs je sais que bien d'autres ne
boivent le poison que longtemps après que l'ordre leur

en a été donné, après avoir dîné et bu copieusement,
que quelques-uns même ont joui des faveurs de ceux qu'ils
aimaient. Ne te presse donc pas ; tu as encore du temps.

— Il est naturel, repartit Socrate, que les gens dont
tu parles se conduisent ainsi, car ils croient que c'est
autant de gagné. Quant à moi, il est naturel aussi que
je n'en fasse rien ; car je n'ai, je crois, rien à gagner à
boire un peu plus tard : je ne ferais que me rendre ridicule
à mes propres yeux en m'accrochant à la vie et en épar-
gnant une chose que je n'ai déjà plus. Mais allons, dit-il,
écoute-moi et ne me contrarie pas. »

LXVI. — A ces mots, Criton fit signe à son esclave,
qui se tenait près de lui. L'esclave sortit et, après être resté
un bon moment, rentra avec celui qui devait donner le
poison, qu'il portait tout broyé dans une coupe. En
voyant cet homme, Socrate dit : « Eh bien, mon brave,
comme tu es au courant de ces choses, dis-moi ce que
j'ai à faire. — Pas autre chose, répondit-il, que de te
promener, quand tu auras bu, jusqu'à ce que tu sentes
tes jambes s'alourdir, et alors de te coucher ; le poison
agira ainsi de lui-même. » En même temps il lui tendit
la coupe. Socrate la prit avec une sérénité parfaite, Échécrate, sans trembler, sans changer de couleur ni de visage ;
mais regardant l'homme en dessous de ce regard de
taureau qui lui était habituel : « Que dirais-tu, demandat-
t-il, si je versais un peu de ce breuvage en libation à
quelque dieu ? Est-ce permis ou non ? — Nous n'en
broyons, Socrate, dit l'homme, que juste ce qu'il en faut
boire. — J'entends, dit-il. Mais on peut du moins et l'on
doit même prier les dieux pour qu'ils favorisent le passage
de ce monde à l'autre ; c'est ce que je leur demande moi-
même et puissent-ils m'exaucer ! » Tout en disant cela, il
portait la coupe à ses lèvres, et il la vida jusqu'à la dernière
goutte avec une aisance et un calme parfaits.

Jusque-là nous avions eu presque tous assez de force
pour retenir nos larmes ; mais en le voyant boire, et quand
il eut bu, nous n'en fûmes plus les maîtres. Moi-même,
j'eus beau me contraindre ; mes larmes s'échappèrent à
flots ; alors je me voilai la tête et je pleurai sur moi-même ;
car ce n'était pas son malheur, mais le mien que je déplo-
rais, en songeant de quel ami j'étais privé. Avant moi
déjà, Criton n'avait pu contenir ses larmes et il s'était
levé de sa place. Pour Apollodore, qui déjà auparavant
n'avait pas un instant cessé de pleurer, il se mit alors à

hurler et ses pleurs et ses plaintes fendirent le cœur à tous
les assistants, excepté Socrate lui-même. « Que faites-vous
là, s'écria-t-il, étranges amis ? Si j'ai renvoyé les femmes,
c'était surtout pour éviter ces lamentations déplacées ;
car j'ai toujours entendu dire qu'il fallait mourir sur des
paroles de bon augure. Soyez donc calmes et fermes. »
En entendant ces reproches, nous rougîmes et nous
retînmes de pleurer.

Quant à lui, après avoir marché, il dit que ses jambes
s'alourdissaient et il se coucha sur le dos, comme l'homme
le lui avait recommandé. Celui qui lui avait donné le
poison, le tâtant de la main, examinait de temps à autre
ses pieds et ses jambes ; ensuite, lui ayant fortement pincé
le pied, il lui demanda s'il sentait quelque chose. Socrate
répondit que non. Il lui pinça ensuite le bas des jambes
et, portant les mains plus haut, il nous faisait voir ainsi
que le corps se glaçait et se raidissait. Et le touchant
encore, il déclara que, quand le froid aurait gagné le cœur,
Socrate s'en irait. Déjà la région du bas-ventre était à peu
près refroidie, lorsque, levant son voile, car il s'était voilé
la tête, Socrate dit, et ce fut sa dernière parole : « Criton,
nous devons un coq à Asclèpios ; payez-le, ne l'oubliez
pas. — Oui, ce sera fait, dit Criton, mais vois si tu as
quelque autre chose à nous dire. » A cette question il ne
répondit plus ; mais quelques instants après il eut un sursaut. L'homme le découvrit : il avait les yeux fixes. En
voyant cela, Criton lui ferma la bouche et les yeux.

LXVII. — Telle fut la fin de notre ami, Échécrate,
d'un homme qui, nous pouvons le dire, fut, parmi les
hommes de ce temps que nous avons connus, le meilleur
et aussi le plus sage et le plus juste.

NOTES SUR L'APOLOGIE DE SOCRATE

1. Ce poète comique est Aristophane, qui va être nommé tout à l'heure.

2. Aristophane, *Nuées*, 218 et suiv.

3. Sur Gorgias, voir le *Gorgias;* sur Prodicos et Hippias, voir le *Protagoras.*

4. Il s'agit d'Évènos de Paros, qui fut à la fois sophiste et poète.

5. Le riche Callias, dont la maison était le rendez-vous des sophistes, appartenait à la famille des « hérauts », qui remontait à Triptolème. Il était par droit héréditaire porteur de torche à Éleusis et hôte de Lacédémone. Son père Hipponicos battit les Béotiens à Tanagra en 426 et périt deux ans plus tard à la bataille de Dèlion. Lui-même fut stratège dans la guerre de Corinthe en 390. Sa mère avait épousé en secondes noces Périclès.

6. Khairéphon figure à côté de Socrate dans les *Nuées* d'Aristophane (104, 144, 503, 831, 1465, 1505). C'était un homme maladif, au teint pâle. Eupolis l'appelle πύξινος *(jaune comme du buis)*. Dans les *Oiseaux* d'Aristophane il est appelé chauve-souris (1296 et 1564), parce qu'il vivait enfermé et ne sortait que le soir. Le frère de Khairéphon était peut-être Khairécratès, dont il est question dans Xénophon, *Mémorables*, II, 3, 1.

7. Le serment par le chien, appelé *serment de Rhadamante*, était peut-être d'origine orphique. L'esclave Xanthias dans les *Guêpes* d'Aristophane jure aussi par le chien.

8. Socrate jure souvent par Hèra. C'était la forme de serment habituelle des femmes. Les hommes juraient par Zeus ou par Hèraclès.

9. Anaxagore, né à Clazomènes, au début du Vᵉ siècle, enseignait que le chaos avait été organisé par l'Esprit (Νοῦς). Il séjourna à Athènes, où il fut l'ami de Périclès. Accusé de nier l'existence des dieux, il quitta Athènes et il se rendit à Lampsaque, où il mourut vers l'an 428. Il avait exposé sa doctrine dans un traité Περὶ φύσεως *(Sur la Nature).*

10. Le lexique de Timée nous apprend que l'on donnait le nom d'*orchestra* non seulement à une partie du théâtre, mais encore à la partie de l'agora où se dressaient les statues d'Harmodios et d'Aristo-

giton. C'est sans doute en cette partie de l'agora que se vendaient les livres.

11. Potidée, ville de Chalcidique, se révolta contre Athènes en 432. Les Athéniens la reprirent après deux ans de siège. C'est dans cette campagne que Socrate sauva la vie à Alcibiade.

12. Amphipolis était une colonie athénienne sur les bords du Strymon, en Thrace. Cléon, qui la défendait, y fut battu en 422 par le Lacédémonien Brasidas, qui périt dans la bataille.

13. Délion, en Béotie, fut en 424 le théâtre d'une bataille où les Athéniens furent écrasés par les Béotiens.

14. Les prytanies étaient des commissions formées par les sénateurs de la même tribu pour expédier les affaires. Il y avait donc dix prytanies, formées de cinquante membres (le sénat en comprenait cinq cents). Elles restaient en fonction et présidaient le sénat, chacune pendant la dixième partie de l'année. Les prytanes nommaient au sort un président ou épistate, qui n'exerçait ses fonctions que pendant un jour et une nuit.

15. Il s'agit des généraux qui commandaient la flotte athénienne à la bataille des *Arginuses* en 407. Ils battirent la flotte lacédémonienne commandée par Callicratidas; mais n'ayant pu relever les morts, à cause de la tempête, huit d'entre eux, et non dix, furent jugés en bloc et condamnés à mort. Six d'entre eux furent exécutés; les deux autres, qui n'étaient pas revenus à Athènes, échappèrent à la mort. Voir Xénophon, *Helléniques*, I, 7.

16. La *tholos* était une salle ronde où siégeaient primitivement les prytanes et où ils prenaient en commun leurs repas.

17. Léon de Salamine, ancien stratège, était du parti démocratique; mais c'est surtout parce qu'il était riche que les Trente, à court d'argent, le firent mettre à mort.

18. Criton, du dème d'Alopékè, comme Socrate, est le même que l'interlocuteur de Socrate dans le dialogue qui porte ce nom. Son fils Critobule était un élégant et un débauché, dont il est question dans les *Mémorables*, I, 2, 8, et dans le *Banquet* de Xénophon, ainsi que dans le *Télaugès* d'Eschine de Sphettos.

19. Eschine de Sphettos, communément appelé *Eschine le socratique*, pour le distinguer de l'orateur, avait écrit des *Discours socratiques*, dont nous avons des fragments considérables, un *Alcibiade*, un *Miltiade*, un *Callias*, un *Axiochos*, une *Aspasie*, un *Télaugès* et un *Rhinon*.

20. Épigénès est mentionné par Xénophon, *Mém.*, III, 12, comme un des disciples de Socrate, et par Platon dans le *Phédon*, 59 b. Il ne faut pas confondre son père avec l'orateur Antiphon de Rhamnonte.

21. Nicostratos et Théodote, comme leur père Théozotidès, sont des inconnus.

22. Nous savons par le *Théagès* que Dèmodocos était plus vieux que Socrate et qu'il avait rempli de hautes fonctions. C'est probablement le stratège de 425-424 mentionné par Thucydide, IV, 75. Nous

ne savons rien de son fils Paralos ou Paralios. Quant à Théagès, dont il est question dans la *République*, 496 b, il a donné son nom à un dialogue faussement attribué à Platon.

23. Adimante, d'après ce passage, devait être notablement plus vieux que son frère Platon. C'est, avec Glaucon, un autre frère de Platon, un des principaux interlocuteurs de la *République*. Quant à Platon, ce passage est un des trois où il parle de lui, en dehors des *Lettres*. Les deux autres sont *Apologie*, 38 b, et *Phédon*, 59 b.

24. Apollodore, disciple enthousiaste de Platon, est celui qui raconte le *Banquet* de Platon. Xénophon associe son nom à celui d'Antisthène (*Mém.*, III, 11, 17). Il assiste avec une extrême affliction à la mort de Socrate (*Phédon*, 59 a, 117 d). Son frère Aïantodore n'est pas connu.

25. Homère, *Odyssée*, XIX, 163.

26. Le plus vieux se nommait Lamproclès; les deux petits, Sophronisque et Ménexène.

27. Dans les procès comme celui-ci, où la peine n'était pas fixée par la loi, le jury prononçait d'abord son verdict. Si c'était un verdict de condamnation, l'accusé était invité à fixer lui-même sa peine, et le jury choisissait ou la peine demandée par l'accusateur ou celle que proposait le condamné, sans pouvoir en proposer une autre.

28. Ce déplacement de trente voix suppose que Socrate eut contre lui 280 juges et 220 pour lui. Diogène Laërce, au lieu de 280, donne le chiffre de 281. Si ce dernier chiffre est exact, il faut admettre que Socrate donne ici un chiffre rond.

29. La mine valait cent drachmes ou 98 fr. 23.

30. C'est la première fois que Socrate emploie ce terme et il ne l'applique qu'à ceux qui ont, selon lui, jugé suivant la justice ($\delta i x \eta$).

31. C'est le seul endroit où Triptolème soit donné comme juge des morts, bien qu'il soit représenté sur des vases attiques avec Éaque et Rhadamante, à la place de Minos, qui était naturellement impopulaire à Athènes.

32. Orphée et Musée sont accouplés ensemble, comme représentants de la doctrine orphique, dans le *Protagoras*, 316 d; dans la *République*, 364 e, ainsi que dans Aristophane, *Grenouilles*, 1032 sq.

33. Palamède n'est point connu d'Homère. D'après la légende adoptée par les poètes tragiques, il s'était attiré la haine d'Ulysse en démasquant la folie qu'il simulait pour éviter d'aller à Troie. Pour se venger, Ulysse cacha de l'or dans sa tente, l'accusa de l'avoir reçu de Priam pour trahir les Grecs et le fit lapider. Dans l'*Apologie* de Xénophon (26), Socrate se console en comparant son sort à celui de Palamède.

34. Le cas d'Ajax est différent de celui de Palamède, puisqu'il se tua lui-même; mais aux yeux de Socrate, Ajax est victime du jugement injuste qui attribua les armes d'Achille à Ulysse.

35. Celui qui mena la grande armée à Troie était Agamemnon, chef suprême des Grecs.

36. Ulysse et Sisyphe, « le plus rusé des hommes » d'après Homère, sont des exemples d'hommes qui passaient pour sages.

NOTES SUR LE CRITON

37. Le Sounion est un promontoire au sud-est de l'Attique.

38. Ce sont les Onze, de qui cela dépend.

39. Ces mots sont dits par Achille dans l'*Iliade*, IX, 363.

40. Simmias et Cébès, de Thèbes, avaient été tous les deux disciples du pythagoricien Philolaos avant son retour en Italie, puis ils étaient venus à Athènes écouter Socrate. Ce sont les principaux interlocuteurs de Socrate dans le *Phédon*. Diogène Laërce donne les titres de 23 dialogues attribués à Simmias, et mentionne trois dialogues de Cébès et un ouvrage intitulé *Tableau de Cébès*, que nous avons encore.

41. Socrate avait trois fils, dont un déjà grand, Lamproclès (cf. Xénophon, *Mém.*, II, 2) et deux en bas âge, Sophronisque et Ménexène.

42. Platon accouple souvent le médecin et le pédotribe ou directeur des exercices gymnastiques, qui est aussi un maître d'hygiène.

43. C'est-à-dire l'âme.

NOTES SUR LE PHÉDON

44. La théorie était la députation que les villes de Grèce envoyaient aux fêtes solennelles de Delphes, d'Olympie, de Corinthe, de Dèlos, etc.

45. Xénophon, *Apologie*, 28, nous apprend qu'Apollodore était un disciple passionné de Socrate, mais simple d'esprit. Il le mentionne avec Antisthène dans les *Mémorables*, III, 2, 17. C'est lui que Platon a chargé de raconter le *Banquet*, où un ami fait de lui un portrait qui confirme ce que Xénophon dit de lui (173 d).

46. Critobule, fils de Criton, était connu pour sa beauté. Dans le *Banquet* de Xénophon, Socrate s'amuse à prouver qu'il est plus beau que Critobule (ch. V).

Criton, du même âge et du même dème que Socrate, fut jusqu'à la fin un ami dévoué du philosophe. Voir la notice du *Criton*, et, dans celle du *Phédon*, ce que nous avons dit de lui.

47. Hermogène, fils d'Hipponicos et frère de Callias, est un des interlocuteurs du *Cratyle*.

48. Xénophon (*Mém.*, III, 12) met Épigène en scène avec Socrate, qui lui conseille, vu sa faiblesse physique, de faire de l'exercice.

49. Eschine le socratique, ainsi appelé pour le distinguer de l'ora-

teur du même nom. Il écrivit des dialogues socratiques fort appréciés.

50. Antisthène, fondateur de l'école cynique, fut un adversaire décidé du système des Idées de Platon. Xénophon, dans son *Banquet*, lui fait faire l'éloge de la pauvreté, et le représente comme un des disciples les plus fidèles de Socrate.

51. Ctèsippe de Paeanie figure dans le *Lysis* et dans l'*Euthydème*.

52. Ménexène, fils de Dèmophon et cousin de Ctèsippe, figure dans le *Lysis* et dans le *Ménexène*, dialogue auquel il a donné son nom.

53. Sur Simmias et Cébès, voir la notice.

Phaidondès ou Phaidondas est mentionné dans les *Mémorables* de Xénophon (I, 2, 48) avec Simmias et Cébès, parmi les véritables disciples de Socrate, ceux qui n'avaient d'autre but que de devenir honnêtes gens.

54. Euclide fut le chef d'une école philosophique à Mégare. Platon le représente dans le *Théétète* comme dévoué à la mémoire de Socrate.

55. Terpsion est associé à Théétète dans la dramatique introduction du *Théétète*. Nous ne savons pas autre chose de lui.

56. Aristippe, fondateur de l'école cyrénaïque, faisait du plaisir le but de la vie. Xénophon l'a mis en scène avec Socrate dans le chapitre VIII du troisième livre des *Mémorables*.

57. Cléombrote a souvent été identifié avec ce Cléombrote, célébré par Callimaque dans une épigramme (24), qui se jeta dans la mer après avoir lu le *Phédon*. Mais nous ne savons rien de lui.

58. Il n'y a ni dans le *Phédon* ni dans aucun dialogue de Platon, aucune allusion au caractère de Xanthippe, femme de Socrate. C'est par Xénophon (*Mém.*, II, 2, 7, et *Banquet*, 2, 10) que nous connaissons son caractère difficile.

Le fils dont il est ici question était sans doute le plus jeune des trois fils de Socrate. Il portait le nom de Ménexène.

59. Ce nom de prélude est appliqué par Thucydide (III, 104) à l'hymne homérique à Apollon. Les préludes étaient, à proprement parler, des vers d'introduction à un poème ou à la célébration d'une fête religieuse.

60. Évènos de Paros, sophiste et poète, enseignait la vertu pour cinq mines (*Apologie*, 20 b). Il avait, d'après le *Phèdre* (267 a), inventé de nouvelles figures de rhétorique.

61. Philolaos fut un des plus distingués parmi les derniers Pythagoriciens. Il s'était réfugié à Thèbes, quand la communauté pythagoricienne fut chassée de la Grande Grèce. Il y eut sans doute un συνέδριον ou collège pythagoricien à Thèbes, comme à Phliunte. Le maître d'Épaminondas, Lysis, était pythagoricien.

62. Ces mots de Cébès sont exprimés en dialecte béotien.

63. C'est une doctrine d'origine orphique.

64. Les Thébains, amis de la bonne chère, appréciaient sans doute médiocrement la vie austère des Pythagoriciens réfugiés chez eux.

65. Ces poètes ne sont pas Parménide et Empédocle, qui sont à

proprement parler des philosophes, mais sans doute Épicharme (*frg.* 249 : *C'est l'esprit qui voit et l'esprit qui entend : le reste est sourd et aveugle*) et Homère, *Iliade*, 127.

66. Allusion à quelque dicton qui nous est inconnu.

67. Le mot se retrouve dans la *République*, II, 363 d. Il est emprunté à la terminologie des orphiques. Olympiodore cite cette phrase orphique : « *Celui d'entre vous qui ne sera pas initié sera pour ainsi dire couché dans la fange chez Hadès.* »

68. Les poètes comiques traitent souvent Socrate de bavard. Aristophane, Eupolis, Amipsias ont souvent raillé son ἀδολεσχία (bavardage).

69. C'est une tradition orphique : elle se retrouve chez les Pythagoriciens, chez Empédocle et chez Pindare. Cf. *Ménon*, 81, et *Épitre* VII, 335 a.

70. Endymion, berger de Carie, remarquable par sa beauté, avait été placé dans le ciel par Zeus. Il en fut chassé pour avoir attenté à l'honneur de Junon, et condamné à un sommeil perpétuel. Diane le transporta dans un antre du mont Latmos en Carie, où elle le visitait souvent.

71. Anaxagore de Clazomènes enseigna que le chaos avait été organisé par l'Intelligence νοῦς. Les mots cités par Socrate étaient le début de son ouvrage.

72. Les mots entre crochets n'ont rien à faire ici : c'est une interpolation.

73. C'est la théorie qui a été exposée dans le *Ménon*.

74. Socrate fait un jeu de mots sur ἀιδής, *invisible*, et Ἄιδης, *Hadès*. Il admet donc ici l'étymologie populaire de Hadès, *invisible*, qu'il a rejetée dans le *Cratyle*, où il fait venir Hadès de α (particule collective) et de εἰδέναι, *savoir*.

75. Ce sont les trois oiseaux de la légende athénienne, Procnè, Philomèle et Térée, qui pleurent leur malheur. Dans cette légende, c'est Procnè, non Philomèle, qui est le rossignol.

76. Attaqué à la fois par l'hydre et par un crabe énorme, Héraclès dut appeler à son secours son neveu Ioléos.

77. L'Euripe, détroit qui sépare l'Eubée de la Béotie, est sujet à un flux et à un reflux perpétuels.

78. Ce vers tiré de l'*Odyssée*, XX, 17, est également cité dans la *République*, 390 d et 441 b.

79. Socrate désigne ainsi plaisamment les objections des deux Thébains par allusion aux fondateurs de Thèbes, Cadmos et sa femme Harmonie.

80. Homère, *Iliade*, IV, 416, et V, 611.

81. Archélaos, disciple d'Anaxagore, qui fut, dit-on, le maître de Socrate, et les Pythagoriciens.

82. C'est la théorie d'Empédocle.

83. Anaximène le premier soutint que l'âme est de l'air; Diogène d'Apollonie reprit et appuya la thèse d'Anaximène.

84. C'est Héraclite qui prétendait que l'âme était du feu; il fut suivi par les Cyniques et plus tard par les Stoïciens.

85. Alcméon de Crotone, pythagoricien, fut le premier qui mit l'âme dans le cerveau. La même théorie fut soutenue au Ve siècle par Hippocrate et son école.

86. Ce sont les Pythagoriciens qui croyaient que la terre est ronde; les Ioniens, y compris Anaxagore et Archélaos, la croyaient plate, à l'exception d'Anaximandre qui la tenait pour cylindrique.

87. C'était la doctrine d'Anaxagore et des anciens Pythagoriciens. Les derniers Pythagoriciens, au contraire, émirent l'idée que la terre tournait avec les planètes autour du feu central.

88. C'est la théorie d'Empédocle qui soutenait que la terre ne tombe pas, parce que la révolution du ciel est rapide, de même que l'eau ne tombe pas d'une coupe que l'on fait tourner très vite.

89. Cet autre est Anaximène, qui croyait la terre rectangulaire, plate et concave au milieu en forme de pierre à pétrir.

90. Le mot λόγος employé ici est extrêmement embarrassant à traduire. Cousin l'a rendu par *raison*, Couvreur par *principes* ou *axiomes*, Archer-Hind par *conceptions* ou *notions générales;* Burnet propose trois termes : *propositions, jugements, définitions;* Robin traduit par *idée*. D'après ce qui suit, on voit qu'il s'agit de déterminer les rapports d'un objet avec l'Idée dont il est l'image. Un peu plus loin (101 d) il s'agit de la méthode dialectique. Ce passage un peu confus s'éclaire à la lumière de ce que dit Platon, *République*, 506-518.

91. Le *Télèphe* d'Eschyle est perdu.

92. Certains détails de cette description viennent d'Empédocle; mais l'ensemble n'est sans doute pas un emprunt direct à quelqu'un. C'est sans doute Platon lui-même qui expose ses propres vues.

93. On donne plusieurs explications de cette phrase proverbiale qui signifie : *Ce n'est pas une chose bien difficile*. La plus simple est que Glaucos avait été le premier à souder le fer.

94. D'après Burnet, Platon ne songe pas ici aux 12 signes du zodiaque, mais au dodécaèdre, auquel les Pythagoriciens attachaient une grande importance, parce que c'est le solide qui approche le plus de la sphère. Il est formé de 12 pentagones réguliers. Si le matériau n'est pas flexible, on obtient ainsi un dodécaèdre régulier; s'il est flexible, on peut en faire une balle.

95. Homère, *Iliade*, VIII, 14.

TABLE DES MATIÈRES

GF — TEXTE INTÉGRAL — GF

6550-1977. — Impr.-Reliure Maison Mame, Tours.
No d'édition 9586. — 4e trimestre 1965 — PRINTED IN FRANCE.